AMÉLIE NOTHOMB

SOIF

roman

ALBIN MICHEL

IL A ÉTÉ TIRÉ DE CET OUVRAGE

Trente-cinq exemplaires
sur vergé blanc chiffon, filigrané, de Hollande
dont vingt-cinq exemplaires numérotés de 1 *à* 25
et dix exemplaires, hors commerce, numérotés de I *à* X

J'ai toujours su que l'on me condamnerait à mort. L'avantage de cette certitude, c'est que je peux accorder mon attention à ce qui le mérite : les détails.

Je pensais que mon procès serait une parodie de justice. Il l'a été en effet, mais pas comme je l'avais cru. À la place de la formalité vite expédiée que j'avais imaginée, j'ai eu droit au grand jeu. Le procureur n'a rien laissé au hasard.

Les témoins à charge ont défilé les uns après les autres. Je n'en ai pas cru mes yeux quand j'ai vu arriver les mariés de Cana, mes premiers miraculés.

– Cet homme a le pouvoir de changer l'eau en vin, a déclaré l'époux avec sérieux. Néanmoins, il a attendu la fin des noces pour exercer son don. Il a pris plaisir à notre angoisse et à notre humiliation, alors qu'il aurait pu si facilement nous éviter l'une et l'autre. À cause de lui, on a servi le meilleur vin après le moyen. Nous avons été la risée du village.

J'ai regardé calmement mon accusateur dans les yeux. Il a soutenu mon regard, sûr de son bon droit.

L'officier royal est venu décrire la mauvaise volonté avec laquelle j'avais guéri son fils.

– Comment se porte votre enfant à présent ? n'a pu s'empêcher de demander mon avocat, le commis d'office le moins efficace que l'on puisse concevoir.

– Très bien. Le grand mérite ! Avec sa magie, il lui suffit d'un mot.

Les trente-sept miraculés ont déballé leur linge sale. Celui qui m'a le plus amusé, c'est l'ex-possédé de Capharnaüm :

– Ma vie est devenue d'une platitude depuis l'exorcisme !

L'ancien aveugle s'est plaint de la laideur du monde, l'ancien lépreux a déclaré que plus personne ne lui octroyait l'aumône, le syndicat des pêcheurs de Tibériade m'a accusé d'avoir favorisé une équipe à l'exclusion des autres, Lazare a raconté combien il était odieux de vivre avec une odeur de cadavre qui vous collait à la peau.

À l'évidence, il n'a pas fallu les soudoyer, ni même les encourager. Ils sont tous venus témoigner contre moi de leur plein gré. Plus d'un a dit combien cela le soulageait de pouvoir enfin vider son sac en présence du coupable.

En présence du coupable.

Je suis un faux calme. Il m'a fallu beaucoup d'efforts pour écouter ces litanies sans réagir. À chaque fois, j'ai regardé le témoin dans les yeux sans autre expression qu'une douceur étonnée. À chaque fois, on a soutenu mon regard avec morgue, on m'a défié, on m'a toisé.

La mère d'un enfant que j'avais guéri est allée jusqu'à m'accuser de lui avoir gâché la vie.

– Quand le petit était malade, il se tenait tranquille. À présent, ça gigote, ça crie, ça pleure, je n'ai plus une minute de paix, je ne dors plus la nuit.

– N'est-ce pas vous qui aviez demandé à mon client de guérir votre fils ? a interrogé le commis d'office.

– De le guérir, oui, pas de le rendre aussi infernal qu'il l'était avant sa maladie.

– Peut-être auriez-vous dû préciser ce point.

– Il est omniscient, oui ou non ?

Bonne question. Je sais toujours Tι, et jamais Πώs. Je connais les compléments d'objet et jamais les compléments circonstanciels. Donc non, je ne suis pas omniscient : je découvre les adverbes au fur et à mesure et ils me sidèrent. On a raison de dire que le diable est dans les détails.

En vérité, non seulement il n'a pas fallu les pousser à témoigner à charge, mais ils l'ont ardemment désiré. La complaisance avec laquelle chacun a parlé contre moi m'a stupéfié. D'autant que ce n'était absolument pas nécessaire. Tous savaient que je serais condamné à mort.

La prophétie n'a rien de mystérieux. Ils connaissaient mes pouvoirs et pouvaient constater que je ne m'en étais pas servi pour me sauver. Ils n'avaient donc aucun doute sur l'issue de l'affaire.

Pourquoi ont-ils tenu à m'infliger une infamie à ce point inutile ? L'énigme du mal n'est rien comparée à celle de la médiocrité. Pendant leur témoignage, je sentais leur plaisir. Ils jouissaient de se conduire comme des misérables devant moi. Leur unique déception était que ma souffrance ne se vît pas davantage. Non que j'aie voulu leur refuser cette volupté, mais parce que mon étonnement l'emportait de beaucoup sur mon indignation.

Je suis un homme, rien d'humain ne m'est étranger. Et pourtant je ne comprends pas la nature de ce qui s'est emparé d'eux au moment de déblatérer ces abominations. Et je considère mon incompréhension comme un échec, un manquement.

Pilate avait reçu des instructions à mon sujet et je voyais sa contrariété, non que je lui sois le moins du monde sympathique, mais parce que les témoins irritaient en lui l'homme rationnel. Ma stupéfaction le trompa, il voulut me donner l'occasion de protester contre ce flot de sottises :

– Accusé, as-tu quelque chose à dire ? me demanda-t-il avec l'expression d'un être intelligent s'adressant à un pair.

– Non, ai-je répondu.

Il hocha la tête, l'air de penser qu'il ne servait à rien de tendre la perche à qui se désintéresse à ce point de son propre sort.

En vérité, je n'ai rien dit parce que j'avais trop à dire. Et si j'avais parlé, je n'aurais pas été capable de cacher mon mépris. L'éprouver me tourmente. J'ai été homme assez longtemps pour savoir que certains sentiments ne se répriment pas. Il importe de les laisser passer sans chercher à les contrer : c'est ainsi qu'ils ne laissent aucune trace.

Le mépris est un démon dormant. Un démon qui n'agit pas ne tarde pas à s'étioler. Quand on est au tribunal, les paroles ont valeur d'actes. Taire mon mépris revenait à l'empêcher d'agir.

Pilate consulta ses conseillers :

– La preuve que ces témoignages sont faux, c'est que notre homme n'exerce aucune magie pour se délivrer.

– Aussi n'est-ce pas le motif pour lequel nous exigeons sa condamnation.

– Je sais. Moi, je ne demande qu'à le condamner. Seulement, j'aurais apprécié de ne pas avoir l'impression de le faire pour des fumisteries !

– À Rome, il faut au peuple du pain et des jeux. Ici, il leur faut du pain et des miracles.

– Bon. Si c'est de la politique, cela ne me dérange plus.

Pilate se leva et déclara :

– Accusé, tu seras crucifié.

J'ai aimé son économie de langage. Le génie du latin ne commet jamais de pléonasme. J'aurais détesté qu'il dise : « Tu seras crucifié à mort. » Une crucifixion n'a pas d'autre issue possible.

Il n'empêche que l'entendre de sa bouche a

produit son effet. J'ai regardé les témoins et j'ai senti leur gêne tardive. Pourtant, ils savaient tous que je serais condamné et ils avaient poussé le zèle jusqu'à contribuer activement à cette sentence. À présent, ils affectaient de la trouver excessive et d'être choqués par la barbarie du procédé. Certains essayaient d'attraper mon regard pour se désolidariser de ce qui allait se passer. J'ai détourné les yeux.

Je ne savais pas que je mourrais ainsi. Ce n'était pas une mince nouvelle. J'ai d'abord pensé à la douleur. Mon esprit s'est dérobé : on ne peut pas appréhender une souffrance pareille.

La crucifixion, c'est ce que l'on réserve aux crimes les plus honteux. Je ne m'attendais pas à cette humiliation. C'était donc ce que l'on avait demandé à Pilate. Inutile de se perdre en conjectures : Pilate ne s'y était pas opposé. Il devait me condamner à mort, mais il aurait pu choisir la décapitation, par exemple. À quel moment l'ai-je agacé ? Sans doute en ne désavouant pas les miracles.

Je ne pouvais pas mentir : ces miracles étaient bel et bien mon œuvre. Et contrairement à ce qu'affirmaient les témoins, ils m'avaient coûté des efforts inouïs. Personne ne m'a jamais enseigné l'art de les accomplir.

Alors, j'ai eu une pensée drôle : au moins, ce supplice qui m'attendait n'exigerait de moi aucun miracle. Il suffisait de me laisser faire.

– Est-ce qu'on le crucifie aujourd'hui ? demanda quelqu'un.

Pilate se posa la question et me regarda. Il dut voir que quelque chose manquait car il répondit :

– Non. Demain.

Quand je me suis retrouvé seul dans la cellule, j'ai su ce qu'il voulait que j'éprouve : la peur.

Il avait raison. Jusqu'à cette nuit, je ne savais pas vraiment ce que c'était. Dans le Jardin des Oliviers, la veille de mon arrestation, c'était du chagrin, de la déréliction qui m'avait valu ces larmes.

À présent, je découvrais la peur. Non pas la peur de mourir, qui est la plus partagée des abstractions, mais la peur de la crucifixion : une peur très concrète.

J'ai la conviction infalsifiable d'être le plus incarné des humains. Quand je m'allonge pour dormir, ce simple abandon me procure un plaisir si grand que je dois m'empêcher de gémir. Manger le plus humble brouet, boire de l'eau même pas fraîche m'arracherait des soupirs de volupté si je n'y mettais pas bon ordre. Il m'est déjà arrivé de pleurer de plaisir en respirant l'air du matin.

La contrepartie se vérifie : la plus bénigne des rages de dents me tourmente anormalement. Je me rappelle avoir maudit mon sort pour une écharde. Je cache autant cette nature douillette que la précédente : cela ne cadre pas avec ce que je suis censé représenter. Un malentendu de plus.

En trente-trois ans de vie, j'ai pu le constater : la plus grande réussite de mon père, c'est l'incarnation. Qu'une puissance désincarnée ait eu l'idée d'inventer le corps demeure un gigantesque coup de génie. Comment le créateur n'aurait-il pas été dépassé par cette création dont il ne comprenait pas l'impact ?

J'ai envie de dire que c'est pour cela qu'il m'a engendré, mais ce n'est pas vrai.

C'eût été un bon motif.

Les humains se plaignent, à raison, des imperfections du corps. L'explication coule de source :

que vaudrait la maison dessinée par un architecte sans domicile ? On n'excelle que dans ce dont on a la pratique quotidienne. Mon père n'a jamais eu de corps. Pour un ignorant, je trouve qu'il s'en est fabuleusement bien tiré.

Ma peur de cette nuit était un vertige physique à l'idée de ce que j'allais endurer. Des suppliciés, on attend qu'ils se montrent à la hauteur. Quand ils ne hurlent pas de douleur, on parle de leur courage. Je soupçonne qu'il s'agit d'autre chose : je verrai quoi.

J'appréhendais les clous à travers mes mains et mes pieds. C'était stupide : il y aurait sûrement des souffrances beaucoup plus fortes. Mais celle-ci au moins, je pouvais l'imaginer.

Le geôlier me dit :

– Essaie de dormir. Demain, tu auras besoin d'être d'attaque.

Devant mon air ironique, il reprit :

– Ne ris pas. Il faut de la santé pour mourir. Je t'aurai prévenu.

C'est exact. En plus, c'était ma dernière occasion de dormir, moi qui aime tellement cela. J'ai essayé, je me suis allongé sur le sol, j'ai abandonné mon corps au repos : il n'a pas voulu de moi. Chaque fois que je fermais les yeux, au lieu du sommeil, je trouvais des images terrifiantes.

Alors j'ai fait comme tout le monde : pour lutter contre les pensées insoutenables, j'ai eu recours à d'autres pensées.

J'ai revécu le premier miracle, mon préféré. J'ai constaté avec soulagement que le consternant témoignage des mariés n'avait pas terni mon souvenir.

Cela n'avait pourtant pas très bien commencé. Se rendre à une noce en compagnie de sa mère, c'est une expérience pesante. Ma mère a beau être une âme pure, elle n'en reste pas moins une femme normale. Elle me regardait en coin, l'air de dire, et toi, mon fils, qu'attends-tu pour prendre une épouse ? J'affectais de ne pas le remarquer.

Je dois avouer que je n'aime guère les mariages. Ce sentiment résiste à l'analyse. Ce genre de sacrement me remplit d'une angoisse que je comprends d'autant moins que cela ne me concerne pas. Je ne me marierai pas et je n'en éprouve aucun regret.

Cette noce était ordinaire : une fête où les gens montraient plus de joie qu'ils n'en avaient. Je savais qu'on attendait de moi quelque chose de plus. Quoi ? Je l'ignorais.

Repas de prestige : pain et poisson grillé, vin. Le vin n'était pas fameux, mais le pain encore chaud du four craquait sous la dent et les poissons idéalement salés me remplissaient de plaisir. Je mangeais dans la concentration, afin de ne rien perdre de ces saveurs et de ces consistances. Ma mère avait l'air gênée que je ne converse pas avec les convives. Pour le coup, c'est à elle que je ressemble : elle n'est pas causante. Parler pour ne rien dire, j'en suis incapable et elle aussi.

J'éprouvais envers les mariés l'indifférence aimable que l'on a pour les amis de ses parents. Ce devait être la troisième fois que je les voyais et, comme toujours, ils exagéraient : « Jésus, on l'a connu quand il était petit » et : « Ça te change, la barbe. » L'excès de familiarité des humains me met un peu mal à l'aise. J'aurais préféré ne les avoir jamais vus, ces nouveaux époux. Nos relations auraient été plus vraies.

Joseph me manquait. Ce brave homme, qui ne parlait guère plus que ma mère et moi, avait le talent de donner le change : il écoutait les gens si fort qu'on croyait entendre sa réponse. Je n'ai pas hérité de lui cette vertu. Quand les gens parlent pour ne rien dire, je ne fais même pas semblant d'écouter.

– À quoi penses-tu ? a murmuré ma mère.

– À Joseph.

– Pourquoi l'appelles-tu ainsi ?

– Tu sais bien.

Je n'ai jamais été sûr qu'elle sache bien, mais s'il fallait expliquer ce genre de choses à sa mère, on ne s'en sortirait pas.

Un genre d'émeute a débuté.

– Ils n'ont plus de vin, a dit ma mère.

Je n'ai pas vu le problème. Qu'il n'y ait plus de cette piquette, la belle affaire ! L'eau fraîche désaltérait mieux et je continuais à manger consciencieusement. Il m'a fallu du temps pour comprendre que pour cette famille ce manque de vin constituait un déshonneur irréparable.

– Ils n'ont plus de vin, a répété ma mère à mon intention.

Un gouffre s'est ouvert sous mes pieds. Quelle drôle de femme, ma mère ! Elle voudrait à la fois que je sois normal, mais aussi que j'accomplisse des prodiges !

Comme j'ai été seul à cet instant ! Il n'y avait plus à tergiverser. C'est alors que j'ai eu une intuition foudroyante. J'ai dit :

– Apportez-moi des jarres d'eau.

Le maître des lieux a ordonné qu'on m'obéisse, un grand silence s'est installé. Si j'avais réfléchi, c'était fichu. Ce qu'il fallait, c'était le contraire d'une réflexion. Je me suis anéanti. J'ai su que le pouvoir logeait juste sous la peau et qu'on y accédait en abolissant sa pensée. J'ai donné la parole à ce que, désormais, j'appellerais l'écorce et je ne sais pas ce qui s'est passé. Pendant un temps insurmontable, j'ai cessé d'exister.

Quand je suis revenu à moi, les convives s'extasiaient :

– C'est le meilleur vin que l'on ait bu dans ce pays !

Chacun goûtait le vin nouveau avec le regard que l'on espérait de lui pendant les cérémonies religieuses. J'ai réprimé une colossale envie de rire. Ainsi, mon père avait jugé bon que je découvre cette puissance à l'occasion d'un manque de vin. Quel humour ! Et comment le désapprouver ? Quoi de plus important que le vin ? J'étais homme depuis assez longtemps pour savoir que la joie ne coulait pas de source et que le très bon vin était souvent l'unique moyen de la trouver.

La liesse a déboulé dans la noce. Les mariés ont enfin eu l'air heureux. La danse s'est emparée d'eux, l'esprit du vin n'a épargné personne.

– Il ne faut pas servir le meilleur vin après le médiocre ! ont dit des gens à leurs hôtes.

J'atteste que ce ne fut pas dit de façon critique. D'ailleurs, le propos est très discutable. Je pense le contraire. Il vaut mieux commencer par un vin quelconque afin d'installer d'abord la joie dans le cœur. C'est quand l'homme est aussi joyeux qu'il doit l'être qu'il devient capable d'accueillir le grand vin, de lui accorder l'attention suprême qu'il mérite.

C'est mon miracle préféré. Le choix n'est pas difficile, c'est l'unique miracle que j'ai aimé. Je venais de découvrir l'écorce et j'étais ébloui. La première fois que l'on fait quelque chose qui est à ce point au-dessus de soi, on oublie aussitôt la démesure de l'effort, on ne retient que l'émerveillement du résultat.

Et puis il était question de vin, c'était la fête. Par la suite, cela s'est gâté, il a été question de souffrancc, de maladie, de mort ou d'attraper de pauvres poissons que j'aurais préféré laisser libres et vivants. Surtout, recourir au pouvoir de l'écorce, en connaissance de cause, s'est avéré mille fois plus dur que d'en avoir la révélation.

Le pire, c'est l'attente des gens. À Cana, à part ma mère, personne n'exigeait rien de moi.

Ensuite, où que je me sois rendu, on avait préparé le coup, on avait placé sur mon chemin un grabataire ou un lépreux. Accomplir un miracle, ce n'était plus offrir une grâce, c'était remplir mon devoir.

Le nombre de fois où j'ai lu, dans le regard de ceux qui me tendaient un moignon ou un moribond, non pas l'imploration, mais la menace ! S'ils avaient osé formuler leur pensée, c'eût été : « Tu t'es rendu célèbre avec ces bêtises, maintenant tu as intérêt à assurer, sinon tu vas voir ! » Il est arrivé que je n'accomplisse pas le miracle demandé, parce que je n'avais pas la force de m'anéantir pour libérer la puissance de l'écorce : la haine que cela m'a valu !

Par la suite, j'ai réfléchi et je n'ai pas approuvé ces prodiges. Ils ont faussé ce que j'étais venu apporter, l'amour n'était plus gratuit, il fallait que cela serve. Sans parler de ce que j'ai découvert ce matin, lors du procès : aucun des miraculés n'éprouve pour moi la moindre gratitude, au contraire, ils me reprochent amèrement mes miracles, même les époux de Cana.

Je ne veux pas me souvenir de cela. Je ne veux me rappeler que la liesse de Cana, l'innocence de notre bonheur à boire ce vin venu de nulle part, la pureté de cette première ivresse. Celle-ci ne vaut que partagée. Le soir de Cana, ivres, nous l'étions tous, et de la meilleure façon. Oui, ma mère était pompette, et cela lui allait bien. Depuis la mort de Joseph, je l'avais rarement vue heureuse. Ma mère dansait, j'ai dansé avec elle, ma bonne femme de mère que j'aime tant. Mon ivresse lui disait que je l'aimais, et je sentais sa réponse que pourtant elle taisait, mon fils, je sais qu'il y a quelque chose de spécial à ton sujet, je me doute que ça va poser problème un jour, mais là, je suis juste fière de toi et heureuse de boire le bon vin que tu nous as fait avec ta magie.

Ivre, je l'étais ce soir-là, et cette ivresse était sainte. Avant l'incarnation, je n'avais pas de poids. Le paradoxe, c'est qu'il faut peser pour connaître la légèreté. L'ébriété délivre de la pesanteur et donne l'impression que l'on va s'envoler. L'esprit ne vole pas, il se déplace sans obstacle, c'est très différent. Les oiseaux possèdent un corps, leur envol relève de la conquête. Je ne le répéterai jamais assez : avoir un corps, c'est ce qui peut arriver de mieux.

Je me doute que demain, je penserai le contraire, quand mon corps sera supplicié. Puis-je pour autant renier les découvertes qu'il m'a données ? Les plus grandes joies de ma vie, je les ai connues par le corps. Et faut-il préciser que ni mon âme ni mon esprit n'étaient en reste ?

Les miracles aussi je les ai obtenus par le corps. Ce que j'appelle l'écorce est physique. Y avoir accès suppose l'anéantissement momentané de l'esprit. Je n'ai jamais été un autre homme que moi, mais j'ai l'intime conviction que tout un chacun possède ce pouvoir. La raison pour laquelle on y recourt si peu, c'est la terrible difficulté du mode d'emploi. Il faut du courage et de la force pour se soustraire à l'esprit, ce n'est pas une métaphore. Quelques humains y sont arrivés avant moi, quelques humains y parviendront après moi.

Ma connaissance du temps ne diffère pas de

celle de mon destin : je sais Τι, j'ignore Πώς. Les noms appartiennent à Πώς, je ne connais donc pas le nom d'un écrivain à venir qui dira : « Ce qu'il y a de plus profond en l'homme, c'est la peau. » Il frôlera la révélation, mais de toute façon, même ceux qui le glorifieront ne comprendront pas le concret du propos.

Ce n'est pas exactement la peau, c'est juste en dessous. Là siège la toute-puissance.

Cette nuit, il n'y aura pas de miracle. Il n'est pas question de me dérober à ce qui m'attend demain. Ce n'est pas l'envie qui manque.

Une seule fois, je me suis mal servi de ce pouvoir de l'écorce. J'avais faim, les fruits du figuier n'étaient pas mûrs. Moi qui avais tellement le désir de mordre dans une figue chaude de soleil, juteuse et sucrée, j'ai maudit l'arbre, je l'ai condamné à ne jamais porter de fruits. J'ai prétexté une parabole, pas la plus convaincante.

Comment ai-je pu commettre une injustice pareille ? Ce n'était pas la saison des figues. C'est mon unique miracle destructeur. En vérité, ce jour-là, j'ai été commun. Frustré dans ma gourmandise, j'ai laissé mon désir se transformer en colère. La gourmandise est pourtant une très belle chose, il suffisait de la garder intacte, de se dire que d'ici un ou deux mois, je pourrais la combler.

Je ne suis pas sans défauts. Il y a en moi une colère qui ne demande qu'à jaillir. Il y a eu l'épisode des marchands du Temple : au moins, ma cause était juste. De là à dire « je suis venu apporter le glaive », il y a de la marge.

À la veille de mourir, je m'aperçois que je n'ai honte de rien, sauf du figuier. Je m'en étais vraiment pris à un innocent. Je ne vais pas me morfondre dans un regret stérile, je suis simplement contrarié de ne pas pouvoir aller me recueillir auprès de cet arbre, l'embrasser, lui demander pardon. Il suffirait qu'il me pardonne et sa malédiction s'achèverait à l'instant, il pourrait à nouveau porter des fruits et s'enorgueillir de leur poids délicieux sur ses branches.

Je me rappelle ce verger traversé avec les disciples. Les pommiers croulaient sous les fruits, nous nous étions gorgés de ces pommes, les meilleures que nous ayons goûtées, croquantes, parfumées, juteuses. Nous nous étions arrêtés quand nous n'en pouvions plus, le ventre près d'exploser, et nous nous étions écroulés par terre en riant de notre gloutonnerie.

– Toutes ces pommes que nous ne pourrons pas manger, que personne ne mangera ! a dit Jean. Quel chagrin !

– Qui a du chagrin ? ai-je demandé.

– Les arbres.

– Crois-tu ? Les pommiers sont heureux de porter leurs pommes, même si personne ne les mange.

– Qu'en sais-tu ?

– Deviens le pommier.

Jean avait un peu gardé le silence et puis il avait dit :

– Tu as raison.

– Le chagrin, c'est nous qui l'éprouvons, à l'idée de ne pas pouvoir tout manger.

Éclat de rire général.

J'avais été un meilleur homme avec le pommier qu'avec le figuier. Pourquoi ? Parce que j'avais assouvi ma gourmandise. On est quelqu'un de meilleur quand on a eu du plaisir, c'est aussi simple que cela.

Seul dans ma cellule, j'ai l'impression d'être ce figuier que j'ai maudit. Cela me rend triste, alors je fais comme tout le monde : j'essaie de passer à autre chose. Le problème de cette méthode, c'est qu'elle ne fonctionne pas très bien. Pommier, figuier – je me suis demandé à quel arbre Judas s'était pendu. On m'a dit que la branche s'était cassée. Il fallait que cet arbre ne soit pas solide, car Judas ne pesait pas lourd.

J'ai toujours su que Judas me trahirait. Conformément à la nature de ma prescience, je ne savais pas comment il s'y prendrait.

Ma rencontre avec lui fut particulièrement forte. J'étais dans un bled perdu où je ne comprenais personne. À mesure que je parlais, je sentais monter l'hostilité, au point que je me voyais avec les yeux des autres et que je partageais leur consternation envers ce guignol venu prêcher l'amour.

Dans la foule, il y avait ce garçon maigre et sombre qui suintait le malaise par tous les pores. Il m'interpella en ces termes :

– Toi qui dis qu'il faut aimer son prochain, est-ce que tu m'aimes ?

– Bien sûr.

– Ça n'a aucun sens. Personne ne m'aime. Pourquoi m'aimerais-tu ?

– Pas besoin d'une raison pour t'aimer.

– Ouais. C'est n'importe quoi.

Les gens éclatèrent d'un rire de connivence. Il en parut ému : c'était visiblement la première fois qu'il suscitait l'assentiment, dans son patelin.

C'est alors que me fut révélé ce qui arriverait : cet homme me trahirait, et mon cœur se serra.

L'assemblée se dispersa. Lui seul resta devant moi.

– Veux-tu te joindre à nous ? lui demandai-je.

– C'est qui, nous ?

Je montrai les disciples assis sur des pierres, un peu en retrait.

– Ce sont mes amis, dis-je.

– Et moi, je suis qui ?

– Tu es mon ami.

– Qu'est-ce que tu en sais ?

Je compris que répondre ne servirait à rien. Il y avait chez lui quelque chose qui clochait.

J'imagine que chacun a un ami de cette espèce : un ami dont les autres ne comprennent pas qu'il soit notre ami. Les disciples s'étaient tous cooptés d'emblée. Pour Judas, cela n'alla pas de soi.

Il fit tout pour cela. Chaque fois qu'il se sentait apprécié, il disait ce qu'il fallait pour être rejeté :

– Fichez-moi la paix, je n'ai rien à voir avec vous, moi !

S'ensuivaient d'interminables palabres où éclatait sa mauvaise volonté.

– En quoi es-tu si différent de nous, Judas ?

– Je ne suis pas né le cul dans le beurre.

– Comme la plupart d'entre nous.

– Ça se voit, que je ne suis pas comme vous, non ?

– Qu'est-ce que cela veut dire, être comme nous ? Simon et Jean, par exemple, n'ont aucun point commun.

– Si : ils béent devant Jésus.

– Ils ne béent pas devant Jésus : ils l'aiment et ils l'admirent, comme nous.

– Moi pas. Je l'aime bien, mais je ne l'admire pas.

– Alors pourquoi le suis-tu ?

– Parce qu'il me l'a demandé.

– Tu n'y étais pas contraint.

– J'ai croisé plein d'autres prophètes qui le valent.

– Il n'est pas un prophète.

– Prophète, messie, c'est du pareil au même.

– Rien à voir. Il apporte l'amour.

– C'est quoi, son amour ?

Avec Judas, tout était toujours à recommencer de zéro. Il aurait découragé n'importe qui, il m'a découragé plus d'une fois. L'aimer relevait de la gageure et je ne l'en aimais que plus. Non que je préfère l'amour difficile, au contraire, mais parce qu'avec lui, ce surcroît était indispensable.

Si je n'avais fréquenté que les autres disciples, j'aurais peut-être oublié que j'étais venu pour des gens comme Judas : les problèmes vivants, les faiseurs d'embarras, ceux que Simon appelle les emmerdeurs.

« C'est quoi, son amour ? » Bonne question. Chaque jour et chaque nuit, il faut chercher en soi cet amour. Quand on l'a trouvé, son évidence est si puissante qu'on ne comprend plus pourquoi on a eu du mal à y arriver. Encore faut-il rester dans son courant permanent. L'amour est énergie et donc mouvement, rien ne stagne en lui, il s'agit de se jeter dans son jaillissement sans se demander comment on va tenir, car il n'est pas à l'épreuve de la vraisemblance.

Lorsqu'on est en lui, on le voit. Ce n'est pas une métaphore : combien de fois m'a-t-il été donné de distinguer le faisceau de lumière reliant deux êtres qui s'aiment ? Lorsqu'elle vous est adressée, cette lumière devient moins visible mais plus sensible, on perçoit les rayons qui entrent dans la peau – il n'y a rien d'aussi bon à éprouver. Si l'on était capable alors de tendre l'oreille, on entendrait un crépitement d'étincelles.

Thomas ne croit qu'en ce qu'il voit. Judas ne croyait même pas à ce qu'il voyait. Il disait : « Je ne veux pas être abusé par mes sens. » Quand un lieu commun est proféré pour la première fois, il produit son petit effet.

Judas est l'un des personnages qui va susciter le plus de gloses dans l'Histoire. Comment s'en étonner, avec un rôle pareil ? On affirmera qu'il s'agissait du prototype du traître. Cette hypothèse aura la vie dure. L'appel d'air suscité par cette condamnation aboutira évidemment à son contraire. À partir d'une identique pauvreté d'informations, Judas sera déclaré le disciple le plus aimant, le plus pur, le plus innocent. Les jugements des hommes sont si prévisibles que je les admire de se prendre tant au sérieux.

Judas, c'était un drôle de type. Quelque chose, en lui, résistait à toute forme d'analyse. Il était très peu incarné. Pour être plus précis, il ne percevait que les sensations négatives. Il disait : « J'ai mal au dos » avec l'air de qui a découvert un théorème.

Si je lui disais :

– C'est agréable, cette brise printanière.

Il rétorquait :

– N'importe qui peut dire ça.

– C'est vrai, c'est d'autant plus délicieux, insistais-je.

Il haussait les épaules, histoire de ne pas perdre son temps à répondre à un simplet.

Au début, tous les disciples ont eu du mal avec lui. Comme ils étaient gentils, ils essayaient de le réconforter. Cela rendait Judas très agressif. Peu à peu, ils ont compris qu'il valait mieux ne pas trop lui parler. Il ne fallait pas l'ignorer non plus, car sa susceptibilité s'effarouchait du silence encore plus que des paroles.

Judas était un problème permanent, d'abord pour lui-même. Quand il n'y avait aucune raison de se fâcher, il se fâchait. Quand il n'y avait que des motifs de contrariété, il s'emportait. Par conséquent, il valait mieux le côtoyer dans l'adversité ; il était plus dans le ton. Avant de le connaître, j'ignorais l'existence d'une espèce perpétuellement offusquée. Je ne sais pas s'il fut le premier, mais je sais qu'il ne fut pas le dernier.

Nous l'aimions. Il s'en rendait compte et s'efforçait de nous détromper.

– Je ne suis pas un ange, j'ai un fichu caractère.

– On s'en est aperçus, répondait l'un d'entre nous en souriant.

– Comment ? Tu peux parler, toi !

Quand il n'instruisait pas son procès imaginaire, il travaillait à détricoter notre affection.

Il avait horreur du mensonge. En évoquant le sujet, j'avais remarqué qu'il ne l'identifiait pas. Par exemple, il ne parvenait pas à différencier le mensonge du secret.

– Ne pas divulguer une information vraie, ce n'est pas mentir, lui dis-je.

– Dès qu'on ne dit pas toute la vérité, on ment, répondit-il.

Il n'en démordait pas. Comme j'échouais avec la théorie, j'essayais la casuistique.

– Une loi nouvelle déclare qu'on va condamner à mort les bossus, ton voisin est affligé d'une bosse, les autorités te demandent si tu connais un bossu. Tu dis non, bien sûr. Ce n'est pas un mensonge.

– Si, c'en est un.

– Non, c'est un secret.

Si Judas avait davantage habité son corps, il aurait possédé ce qui lui manquait : la subtilité. Ce que l'esprit ne comprend pas, le corps le saisit.

Avant l'incarnation, j'ai peu de souvenirs. Les choses m'échappaient littéralement : que retenir de ce que l'on n'a pas senti ? Il n'y a pas d'art plus grand que celui de vivre. Les meilleurs artistes sont ceux dont les sens détiennent le plus de finesse. Inutile de laisser une trace ailleurs que dans sa propre peau.

Pour peu qu'on l'écoute, le corps est toujours

intelligent. Dans un avenir que je ne situe pas, on mesurera le quotient intellectuel des individus. Cela ne servira guère. Par bonheur, on ne pourra jamais évaluer autrement que par l'intuition le degré d'incarnation d'un être : sa plus haute valeur.

Ce qui va semer le trouble dans cette affaire, c'est le cas des gens capables de quitter leur corps. Si l'on savait à quel point c'est facile, on n'admirerait pas tant cette prouesse au mieux inutile, au pire dangereuse.

Si un noble esprit sort du corps, ce sera inoffensif. Sans doute peut-on trouver de l'agrément à un voyage, pour cet unique motif qu'on ne l'a pas encore fait. Semblablement, parcourir sa propre rue dans le sens inverse du quotidien est amusant. Point final. Le problème, c'est que cette expérience sera imitée par les esprits moyens. Mon père aurait dû mieux verrouiller l'incarnation. Évidemment, je comprends son souci de la liberté humaine. Mais les résultats du divorce entre les esprits faibles et leur corps seront désastreux pour eux et pour autrui.

Un être incarné ne commet jamais d'action abominable. S'il tue, c'est pour se défendre. Il ne s'emporte pas sans un motif juste. Le mal trouve toujours son origine dans l'esprit. Sans le garde-fou du corps, la nuisance spirituelle va pouvoir commencer.

En même temps, je comprends. Moi aussi, j'ai peur de souffrir. On cherche à se désincarner pour se garantir une sortie de secours. Demain, je n'en aurai pas.

La nuit d'où j'écris n'existe pas. Les Évangiles sont formels. Ma dernière nuit de liberté se déroule au Jardin des Oliviers. Le lendemain, on me condamne, et la sentence est immédiate. J'y vois d'ailleurs une forme d'humanité : laisser quelqu'un attendre, c'est multiplier le supplice.

Et pourtant il y a cette dimension inexplorée que je n'ai pas eu l'impression d'inventer : un temps d'un autre ordre que j'ai inséré entre la mort et moi. Je suis comme tout le monde, j'ai peur de mourir. Je ne pense pas que j'aurai un régime de faveur.

Ai-je choisi ? Il paraît. Comment ai-je pu choisir d'être moi ? Pour la raison qui préside à l'immense majorité des choix : par inconscience.

Si on se rendait compte, on choisirait de ne pas vivre.

Il n'empêche que mon choix est le pire. Il faut donc que mon inconscience ait été la plus grande. Encore heureux qu'en amour, cela ne se passe pas de cette manière. C'est à cela que l'on sait si l'on est amoureux : à ce que l'on ne choisit pas. Les êtres qui ont un ego trop gros ne tombent pas amoureux parce qu'ils ne supportent pas de ne pas choisir. Ils s'éprennent d'une personne qu'ils ont sélectionnée : ce n'est pas de l'amour.

En ce moment inconcevable où j'ai choisi mon destin, je ne savais pas que celui-ci impliquerait de tomber amoureux de Marie-Madeleine. Je vais d'ailleurs l'appeler Madeleine : je ne raffole pas des prénoms doubles et je trouve fastidieux de la nommer Marie de Magdala. Quant à l'appeler Marie tout court, je l'exclus. Confondre son amoureuse avec sa mère, c'est peu recommandable.

Il n'y a pas de causalité amoureuse puisqu'on ne choisit pas. Les parce que, on les invente après, pour le plaisir. Je suis tombé amoureux de Madeleine dès que je l'ai vue. On pourrait ergoter : si le sens de la vue est celui qui a joué ce rôle, on pourrait considérer comme une cause l'extrême beauté de Madeleine. Le fait est qu'elle se taisait et que je l'ai donc vue avant de l'entendre. La voix de Madeleine est encore plus belle que son apparence : si je l'avais connue par l'ouïe, le résultat aurait été identique. Si je continuais ce développement avec les trois sens restants, j'en arriverais à des propos impudiques.

Il n'y a rien de surprenant à ce que je sois tombé amoureux de Madeleine. Qu'elle soit tombée amoureuse de moi est autrement extraordinaire. C'est pourtant ce qui s'est produit à la seconde où elle m'a vu.

Nous nous sommes raconté cette histoire mille fois, tout en sachant que cette fiction nous avait échappé. Nous avons bien fait : cela nous a apporté un plaisir infini.

– Quand j'ai vu ton visage, je n'en suis pas

revenu. Je ne savais pas que tant de beauté était possible. Et puis tu m'as regardé et cela a empiré : je ne savais pas qu'on pouvait regarder comme cela. Quand tu me regardes, j'ai du mal à respirer. Est-ce que tu regardes tout le monde de cette manière ?

– Je ne pense pas. Je ne suis pas connue pour cela. C'est l'hôpital qui se moque de la charité. Ton regard est célèbre, Jésus. Les gens se déplacent pour être regardés par toi.

– Je ne regarde personne comme je te regarde.

– Je l'espère.

L'amour concentre la certitude et le doute : on est sûr d'être aimé autant qu'on en doute, non pas tour à tour, mais en une simultanéité déconcertante. Chercher à se débarrasser de ce versant dubitatif en posant mille questions à l'aimée, c'est nier la nature radicalement ambiguë de l'amour.

Madeleine avait connu beaucoup d'hommes et je n'avais connu aucune femme. Néanmoins, notre absence d'expérience nous mettait à égalité. Face à ce qui nous arrivait, nous avions l'ignorance des nouveau-nés. Tout l'art consiste à accepter cet état convulsif avec enthousiasme. J'ose dire que j'y excelle et Madeleine aussi. Son cas est plus admirable : les hommes l'avaient habituée au pire sans qu'elle soit devenue méfiante. Elle a du mérite.

Comme elle me manque ! Je la convoque par la pensée, mais cela ne remplace rien. Peut-être serait-il plus digne de refuser qu'elle me voie ainsi. Il n'empêche que je donnerais tout pour la revoir et la serrer dans mes bras.

On dit que l'amour aveugle. J'ai constaté le contraire. L'amour universel est un acte de générosité qui suppose une lucidité douloureuse. Quant à l'état amoureux, il ouvre les yeux sur des splendeurs invisibles à l'œil nu.

La beauté de Madeleine était un phénomène connu. Pourtant, nul n'a su aussi bien que moi à quel point elle est belle. Il faut du courage pour être capable d'encaisser une beauté pareille.

Souvent, je lui ai posé cette question qui n'avait rien de rhétorique :

– Quel effet cela fait-il, d'être belle à ce point ?

Elle répondait par des faux-fuyants :

– Cela dépend avec qui.

Ou :

– Ce n'est pas mal.

Ou encore :

– Tu es si gentil.

La dernière fois, j'ai insisté :

– Je ne te le demande pas par galanterie. Cela m'intéresse vraiment.

Elle a soupiré :

– Avant de te connaître, les rares fois où j'en avais conscience, ça me clouait au mur. Depuis que tu me regardes, je suis devenue capable de m'en réjouir.

Parmi les choses que je ne lui ai pas dites, pour ce motif qu'elles prêtaient à confusion, il y a ceci : de toutes les joies que j'ai vécues avec elle, aucune n'a égalé la contemplation de sa beauté.

– Arrête de me regarder ainsi, disait-elle parfois.

– Tu es mon gobelet d'eau.

Aucune jouissance n'approche celle que procure le gobelet d'eau quand on crève de soif.

Le seul évangéliste à avoir manifesté un talent d'écrivain digne de ce nom est Jean. C'est aussi pour cette raison que sa parole est la moins fiable. « Celui qui boit de cette eau n'aura plus jamais soif » : je ne l'ai jamais dit, c'eût été un contresens.

Ce n'est pas un hasard si j'ai choisi cette région du monde : il ne me suffisait pas qu'elle soit politiquement déchirée. Il me fallait une terre de haute soif. Aucune sensation n'évoque à ce point celle que je veux inspirer que la soif. Sans doute est-ce pour cela que nul ne l'a éprouvée autant que moi.

En vérité, je vous le dis : ce que vous ressentez quand vous crevez de soif, cultivez-le. Voilà l'élan mystique. Ce n'en est pas la métaphore. Quand on cesse d'avoir faim, cela s'appelle satiété. Quand on cesse d'être fatigué, cela s'appelle repos. Quand on cesse de souffrir, cela s'appelle réconfort. Cesser d'avoir soif ne s'appelle pas.

La langue dans sa sagesse a compris qu'il ne fallait pas créer d'antonyme à la soif. On peut étancher la soif et pourtant le mot étanchement n'existe pas.

Il y a des gens qui pensent ne pas être des mystiques. Ils se trompent. Il suffit d'avoir crevé de soif un moment pour accéder à ce statut. Et l'instant ineffable où l'assoiffé porte à ses lèvres un gobelet d'eau, c'est Dieu.

C'est un instant d'amour absolu et d'émerveillement sans bornes. Celui qui le vit est forcément pur et noble, aussi longtemps que cela dure. Je suis venu enseigner cet élan, rien d'autre. Ma parole est d'une simplicité telle qu'elle déconcerte.

C'est si simple que c'est voué à l'échec. L'excès de simplicité obstrue l'entendement. Il faut connaître la transe mystique pour avoir accès à la splendeur de ce que l'esprit humain, en temps normal, qualifie d'indigence. La bonne nouvelle, c'est que l'extrême soif est une transe mystique idéale.

Je conseille de la prolonger. Que l'assoiffé retarde le moment de boire. Pas indéfiniment, bien sûr. Il ne s'agit pas de mettre sa santé en danger. Je ne demande pas de méditer sa soif, je demande qu'on la ressente à fond, corps et âme, avant de l'étancher.

Tentez cette expérience : après avoir durablement crevé de soif, ne buvez pas le gobelet d'eau d'un trait. Prenez une seule gorgée, gardez-la en bouche quelques secondes avant de l'avaler. Mesurez cet émerveillement. Cet éblouissement, c'est Dieu.

Ce n'est pas la métaphore de Dieu, je le répète. L'amour que vous éprouvez à cet instant précis pour la gorgée d'eau, c'est Dieu. Je suis celui qui arrive à éprouver cet amour pour tout ce qui existe. C'est cela, être le Christ.

Jusqu'ici, cela n'a pas été facile. Demain, ce sera monstrueusement difficile. Alors, afin d'y parvenir, je prends une décision qui va m'aider : je ne boirai pas l'eau du broc que le geôlier a laissé dans ma cellule.

Cela m'attriste. J'aimerais connaître une dernière fois la meilleure des sensations, celle que je préfère. J'y renonce à dessein. C'est une imprudence : la déshydratation me handicapera lorsqu'il s'agira de porter la croix. Mais je me connais au point de savoir que la soif me protégera. Elle peut prendre une ampleur telle que les autres souffrances s'amortissent.

Il faut que j'essaie de dormir. Je m'allonge sur le sol de la geôle, qui est plus sale que la terre. J'ai appris l'indifférence à la puanteur. Il suffit de penser que rien ne sent mauvais exprès – je ne sais pas si c'est vrai, il n'empêche que le raisonnement permet d'accepter les pires remugles.

Abandonner son poids à la position couchée m'a toujours sidéré. Si peu que je pèse, quelle délivrance ! L'incarnation suppose de trimballer ce bagage de chair avec soi. À mon époque, on apprécie les gens dodus. J'ai renoncé à ce canon, je suis maigre : on ne peut pas affirmer que l'on est venu pour les pauvres et avoir de l'embonpoint. Madeleine me trouve beau, elle est bien la seule. Ma propre mère gémit quand elle me voit : « Mange, tu fais pitié ! »

Je mange le minimum. Porter plus que mes cinquante-cinq kilos m'essoufflerait. J'ai remarqué que pas mal d'individus refusent de m'écouter à cause de ma maigreur. Dans leurs yeux, je lis : « Comment attribuer la moindre sagesse à cet échalas ? »

C'est aussi pour cela que j'ai choisi Pierre comme commandeur : moins inspiré que Jean, moins fidèle que le premier venu, il a cette qualité d'être un colosse. Quand c'est lui qui parle, les gens sont impressionnés. Le comble, c'est que c'est valable pour moi aussi. Je sais pourtant qu'il me reniera, mais il m'inspire une telle confiance. Ce n'est pas uniquement parce qu'il est grand et bien bâti. J'adore le voir manger. Il ne chipote pas, il empoigne les aliments et les dévore sans minauder, avec la rude jouissance des braves. Il boit à même le broc qu'il vide d'un trait, il rote et il s'essuie la bouche du revers de sa main puissante. Il n'y met aucune pose, il n'a pas remarqué que d'autres mangeaient différemment. On ne peut que l'aimer.

Jean, lui, mange comme moi. Je ne sais pas si sa parcimonie vise à imiter la mienne. Le fait est que cela tient l'affection à distance. Quelle étrange espèce que la nôtre ! Rien d'humain ne m'est étranger. À table, je dois m'interdire de déclarer à Jean : « Vas-y, bouffe, tu nous embêtes avec tes manières ! » C'est d'autant plus absurde que ces façons m'appartiennent également.

Pour que je puisse aimer Jean, il faut quitter la table. Lorsqu'il marche à côté de moi et m'écoute, je l'aime. On m'a assuré que j'écoute bien. Je ne sais pas quel effet cela produit, d'être écouté par moi. Je sais que l'écoute de Jean est amour et me bouleverse.

Quand je parle à Pierre, il ouvre grand les yeux et m'écoute pendant une minute. Ensuite, je vois son attention diminuer. Ce n'est pas sa faute, il ne se rend pas compte, son regard bouge à la recherche d'un lieu où se poser. Dès que j'adresse la parole à Jean, il baisse légèrement les paupières comme s'il savait que mes confidences allaient l'émouvoir au point de le troubler. Quand j'ai fini de lui parler, il garde le silence un certain temps et puis il relève vers moi ses yeux brillants.

Madeleine aussi m'écoute à ce degré. Elle m'éblouit moins, pour un motif injuste : à mon époque, on enseigne aux femmes à écouter ainsi. Pour autant, rares sont celles qui écoutent si bien. Comme j'aimerais passer cette dernière nuit avec elle ! Elle disait : « Dormons d'amour fou. » Ensuite, elle se blottissait en cuiller contre moi et s'endormait aussitôt. Je n'ai jamais eu un très bon sommeil, alors c'était comme si elle dormait pour nous deux.

Grâce à elle, j'ai su que dormir était un acte d'amour. Quand nous dormions ainsi, nos âmes se mêlaient davantage encore qu'en faisant l'amour. C'était une longue disparition qui nous emportait ensemble. Lorsque je sombrais enfin, j'avais la sensation exquise d'un naufrage.

L'illusion se confirmait dans le réveil. J'avais tellement perdu mes repères que notre couche était forcément le rivage où nous nous étions échoués et où nous étions stupéfaits de nous retrouver vivants. Quelle gratitude de s'éveiller sur la plage, auprès de l'aimée !

L'impression d'être des rescapés était si forte que le jour naissant se devait d'apporter son lot de joie. La première étreinte, le premier mot d'amour, la première gorgée.

S'il y avait un fleuve dans les environs, Madeleine m'invitait à nous y tremper. « Il n'y a pas mieux pour commencer le matin », disait-elle. Rien de tel, en effet, pour laver les miasmes d'une trop bonne nuit.

– Profites-en pour te désaltérer, ajoutait-elle, car je n'aurai rien de mieux à t'offrir.

Nous n'avons jamais eu de quoi prendre une collation matinale. L'idée de manger au saut du lit m'a toujours levé le cœur, j'ai peine à croire que cela devienne un usage. Mais quelques gorgées d'eau venaient à point pour rafraîchir l'haleine.

Ces pensées délicieuses n'ont aucun pouvoir hypnagogique. Si je veux m'endormir pour de bon, je dois m'efforcer d'éprouver de l'ennui. Il faut une volonté de fer pour s'ennuyer à dessein. Hélas, est-ce l'imminence de la mort, rien ne me paraît ennuyeux, même les discours des Pharisiens qui me faisaient bayer aux corneilles me semblent comiques à présent. J'essaie de me rappeler les efforts de Joseph qui tentait de m'enseigner l'art du bois. Comme j'étais mauvais élève ! Et l'air déconcerté de Joseph qui ne se fâchait jamais !

Christ signifie doux. L'ironie a voulu que mes parents humains soient mille fois plus doux que moi. Ils s'étaient trouvés : des êtres d'une bonté pareille, c'est décourageant. Je vois clair dans les cœurs, je sais quand quelqu'un est bon par effort, c'est d'ailleurs une attitude qui fut souvent la mienne. Joseph était bon par nature. Je me tenais à côté de lui quand il est mort, il n'a même pas maudit le stupide accident qui lui a coûté la vie, il m'a souri et a dit :

– Prends garde que cela ne t'arrive aussi.

Et il s'est éteint.

Non, Joseph, je ne mourrai pas en tombant d'un toit.

Maman est arrivée trop tard.

– Il n'a pas souffert, ai-je dit.

Elle a eu un geste tendre pour lui caresser le visage. Mes parents n'étaient pas amoureux l'un de l'autre, mais ils s'aimaient beaucoup.

Ma mère est bien meilleure que moi, elle aussi. Le mal lui est étranger, au point qu'elle ne le reconnaît pas quand elle le croise. Je lui envie cette ignorance. Le mal ne m'est pas étranger. Afin que je puisse l'identifier chez autrui, il était indispensable que j'en sois pourvu.

Je ne le déplore pas. S'il n'y avait pas eu en

moi cette trace sombre, je n'aurais jamais pu tomber amoureux. L'état amoureux ne guette pas les êtres étrangers au mal. Non qu'il y ait quoi que ce soit de mal dans cet état, mais il faut, pour le connaître, receler les gouffres qui permettront l'apparition d'un si profond vertige.

Cela ne signifie pas que je sois un mauvais homme, ni que Madeleine soit une mauvaise femme. La trace sombre était chez nous en repos. Plus en Madeleine qu'en moi, bien sûr. Ce n'est pas elle qui aurait piqué une colère face aux marchands du Temple. Même si la cause en était juste, quel souvenir affreux que cette colère ! La sensation d'un venin qui se répandait dans mon sang et qui m'ordonnait de jeter ces gens dehors en criant : j'ai détesté cela.

Par bonheur, en ce moment, je n'éprouve rien de comparable. Même au procès, quand j'ai assisté à ces témoignages répugnants, la colère ne s'est pas réveillée. L'indignation est un feu différent qui ne cause pas cette souffrance abominable. Si j'ai réussi à taire mon mépris, c'est parce que, contrairement à la colère, il n'est pas de nature explosive.

Jésus, ce n'est pas comme ça que tu arriveras à dormir. Tu n'as aucune volonté !

Je me réveille.

Il m'a donc été donné de sombrer. C'est une grâce. Je remercie Dieu, tout en pensant que c'est un comble de lui dire merci un jour pareil. Le fait est là : j'ai dormi.

Dans mes veines, je sens couler la douceur du repos. Il suffit de quelques minutes de sommeil pour éprouver cette volupté. Je la savoure avec la certitude que c'est la dernière fois.

Je ne me réveillerai plus.

Un poète, dont je ne connais pas le nom, dira dans l'avenir : « Tout le plaisir des jours est en leurs matinées. » C'est aussi mon avis. J'aime le matin. Il y a une force inexorable en cette heure du jour. Même si le pire a eu lieu la veille, il y a une pureté matinale.

Je me sens propre. Je ne le suis pas. Mon âme

est propre ce matin. Le mépris que j'ai ressenti hier n'existe plus. Je ne voudrais pas me réjouir trop vite et pourtant, j'ai la brusque conviction que je mourrai sans haine. J'espère ne pas me tromper.

Un ultime pipi dans un coin de la geôle, je me recouche et il se produit un miracle : il pleut.

Cette pluie n'est pas de saison. Je me prends à espérer qu'elle dure. Il faudrait annuler le spectacle : une crucifixion sous la pluie serait vouée à l'échec, le public la déserterait. Les Romains ont besoin que leurs supplices attirent les foules, sinon, ils ont l'impression d'une désapprobation. Pour eux, le peuple veut du divertissement et se fiche des coteries. Le mauvais temps ignore les circonstances, mais Rome a des oreilles qui vont loin : crucifier trois hommes sans que la plèbe vienne en masse serait perçu comme un camouflet.

J'ai toujours aimé être à l'abri tandis que la pluie redouble. C'est une sensation merveilleuse. On l'associe un peu sottement à la sérénité. En vérité, c'est une situation de plaisir. Le bruit de la pluie exige un toit comme caisse de résonance : être sous ce toit, c'est la meilleure place pour apprécier le concert. Partition délicieuse, subtilement changeante, rhapsodique sans esbroufe, toute pluie tient de la bénédiction.

Elle vire au déluge. J'imagine un autre destin. Les autorités fuient la montée des eaux. On me relâche. Je retourne dans mes provinces, j'épouse Madeleine, nous menons la vie simple des gens ordinaires. Charpentier par trop médiocre, je deviens berger. Nous préparons du fromage avec le lait des brebis. Chaque soir, nos enfants s'en délectent et grandissent comme des plantes. Nous vieillissons heureux.

Suis-je tenté ? Oui. Plus jeune, je me réjouissais d'être élu. À présent, je n'ai plus cette faim, elle est rassasiée. Je préférerais rejoindre la douceur de l'anonymat, ce que l'on nomme à tort la banalité. Rien de plus extraordinaire pourtant que la vie commune. J'aime le quotidien. Sa répétition permet d'approfondir les éblouissements du jour et de la nuit : manger le pain sortant du four, marcher pieds nus sur la terre encore imprégnée de rosée, respirer à pleins poumons, se coucher le long de la femme aimée – comment peut-on vouloir autre chose ?

Cette vie-là aussi se termine par la mort. Je suppose néanmoins que mourir est très différent quand c'est l'œuvre de l'âge : on s'éteint avec les siens, cela doit ressembler à un endormissement. Si je pouvais échapper à la violence annoncée, je ne demanderais rien de mieux.

La pluie s'arrête. L'hypothèse exquise s'achève.

Tout s'accomplira.

« Accepte », me souffle, à l'intérieur de ma tête, une voix bienveillante.

Un sage d'Asie laisse entendre que l'espoir et la peur sont l'envers et l'endroit d'un même sentiment et que pour ce motif il faut renoncer aux deux. Cela fait sens : j'ai éprouvé l'espérance en vain et à présent ma terreur a grandi. Cependant, la parole pour laquelle je vais mourir ne condamnera pas l'espoir. Peut-être est-ce une chimère, mais l'amour dont je ruisselle contient une espérance sans contrepartie de peur.

Il n'empêche qu'il va falloir endurer cette souffrance infinie. « Accepte. » Ai-je le choix ? J'accepte, afin d'avoir moins mal.

On vient enfin me chercher.

Je soupire de réconfort. Le pire est passé. Je ne suis plus dans l'attente du supplice.

Je déchante très vite. Voici que commencent les simagrées. On me met une couronne d'épines, on l'enfonce afin que mon crâne saigne. Le ridicule ne tue pas, je le regrette.

On me flagelle publiquement. Je ne sais pas à quoi sert cette scène. On jurerait un hors-d'œuvre. Avant le plat de résistance de la crucifixion, rien de tel qu'une séance de flagellation pour s'éveiller l'appétit. Chaque coup de fouet me raidit de douleur. La voix gentille, dans ma tête, me répète d'accepter. Une voix grinçante résonne derrière elle : « On n'a pas fini de rigoler. » J'étouffe un rire nerveux qui serait interprété comme de l'insolence. Dommage que je ne sois pas censé être impertinent, cela m'amuserait.

Je m'interdis de penser que le fouet me déchire de souffrance : ce qui suivra sera autrement douloureux. Dire qu'il y a moyen de souffrir beaucoup plus encore !

Il y a des spectateurs, mais pas tellement. C'est pour les happy few – triés sur le volet, ces connaisseurs apprécient. Ils semblent trouver que la distribution est de qualité : le bourreau fouette bien, la victime a de la pudeur, c'est une prestation du meilleur goût. Merci, Pilate, tes réceptions continuent de mériter leur réputation. Si tu le veux bien, nous n'assisterons pas à la suite des réjouissances qui promet d'être plus vulgaire.

Un soleil de plomb m'attend à l'extérieur. M'a-t-on flagellé si longtemps ? Ce n'est plus le matin. Mes yeux mettent plusieurs minutes à s'accoutumer à un éclat pareil. Soudain, je vois la foule. Pour le coup, c'est la cohue. Les gens sont si nombreux qu'on les distingue à peine les uns des autres. Ils n'ont qu'un seul regard, celui de l'avidité. Ils ne veulent pas perdre une miette du spectacle.

La pluie n'a pas laissé dans l'air la moindre trace de fraîcheur. En revanche, le sol en conserve le souvenir, il est bourbeux à souhait. Contre le mur, j'avise la croix. J'évalue mentalement son poids. Suis-je capable de la porter ? Est-ce que je vais y arriver ?

Questions absurdes, je n'ai pas le choix. Capable ou non, il faudra bien.

On me charge de la croix. C'est si lourd que je pourrais m'effondrer. Sidération. Il n'y a pas d'échappatoire. Comment vais-je tenir ?

Marcher le plus vite possible, c'est l'unique solution. Tu parles : mes jambes vacillent sous moi. Chaque pas me coûte un effort impensable. Je calcule la distance du Golgotha. Impossible. Je mourrai bien avant. C'est presque une bonne nouvelle, je ne serai pas crucifié.

Et pourtant, je sais que je le serai. Il va

réellement falloir que je tienne. Allons, ne pense pas, ça ne sert à rien, avance. Si seulement je ne m'enfonçais pas dans cette boue qui double le poids de la croix !

Pour ne rien arranger, les gens se pressent sur mon passage. J'entends des commentaires formidables :

– Alors, on fait moins le malin, maintenant ?

– Si tu es un magicien, pourquoi tu ne t'en sors pas ?

Le bon côté, c'est que je n'ai pas à m'efforcer de ne pas les mépriser. Je n'y songe pas. La totalité de mon énergie est réquisitionnée par ma charge.

Ne pas tomber. C'est interdit. En plus, si tu tombes, il faudra te relever. Ce sera pire. Oui, il y a moyen que ce soit pire. Ne tombe pas, je t'en conjure.

Je sens que je vais tomber. C'est une question de secondes. Je n'y peux rien, il y a une limite, je suis en train de l'atteindre. Ça y est, je tombe. La croix m'assomme, j'ai le nez dans la boue. Au moins, j'ai quelques instants de délivrance.

Je savoure cette étrange liberté, je goûte le plaisir de ma faiblesse. Bien sûr, une grêle de coups s'abat aussitôt sur moi, que je ne sens presque pas, tant j'ai mal partout.

Allons, je soulève à nouveau ce poids monstrueux. Me revoici debout, titubant, sachant désormais ce qu'il en coûte. Matthieu 11.30 : « Car mon joug est doux et mon fardeau léger. » Pas pour moi, les amis. La bonne parole ne s'adresse pas à moi. Je le savais, certes. Le vivre est différent. Tout mon être proteste. Ce qui me permet de continuer, c'est cette voix que j'identifie à celle de l'écorce et qui murmure en permanence : « Accepte. »

Je croyais avoir touché le fond, et voici maman. Non. Ne me regarde pas, s'il te plaît. Hélas, je vois que tu vois et que tu comprends. Tu as les yeux écarquillés d'horreur. C'est au-delà de la pitié, tu vis ce que je vis, en pire, car c'est toujours pire quand c'est son enfant. Il est contre nature de mourir avant sa mère. Si en plus elle assiste au supplice, c'est le comble de la cruauté.

Ce n'est pas un dernier beau moment, c'est le pire moment. Je n'ai pas la force de lui dire de partir, et quand je l'aurais, elle ne m'écouterait pas. Maman, je t'aime, ne regarde pas ton fils souffrir comme un chien, ignore ce que j'endure. Si seulement tu pouvais t'évanouir, maman !

Mon père, qui ne m'exauce jamais, a des manières étranges de me manifester, comment dire, non pas sa solidarité, encore moins sa compassion, je ne vois pas d'autre mot en l'occurrence que celui-ci : son existence. Les Romains commencent à comprendre que je n'arriverai pas vivant au Golgotha. Ce serait pour eux un échec cuisant : à quoi bon crucifier un mort ? Alors ils vont chercher un type qui revient des champs, un fier-à-bras qui se trouve être un passant.

– Tu es réquisitionné. Aide ce condamné à porter sa charge.

Même s'il a reçu un ordre, cet homme est un miracle. Il ne se pose aucune question, il voit un inconnu qui titube sous un poids trop lourd pour lui, il ne fait ni une ni deux, il m'aide.

Il m'aide !

Cela ne m'est jamais arrivé de ma vie. Je ne savais pas comment c'était. Quelqu'un m'aide. Peu importe ce qui le motive.

Je pourrais en pleurer. Parmi l'espèce abjecte qui se moque de moi et pour laquelle je me sacrifie il y a cet homme qui n'est pas venu se régaler du spectacle et qui, cela se sent, m'aide de tout son cœur.

S'il avait déboulé dans la rue par hasard et s'il m'avait vu tituber sous la croix, il aurait eu, je pense, la même réaction : sans réfléchir une seconde, il aurait couru me secourir. Il y a des gens comme ça. Ils ignorent leur propre rareté. Si on demandait à Simon de Cyrène pourquoi il se conduit de cette manière, il ne comprendrait pas la question : il ne sait pas qu'on peut agir autrement.

Mon père a créé une drôle d'espèce : soit des salauds qui ont des opinions, soit des âmes généreuses qui ne pensent pas. En l'état où je suis, je ne pense pas non plus. Je découvre que j'ai un ami en la personne de Simon : j'ai toujours aimé les costauds. Ce ne sont jamais eux qui posent problème. J'ai l'impression que la croix ne pèse plus rien.

– Laisse-moi porter ma part, lui dis-je.

– Honnêtement, c'est plus facile si tu me laisses faire, répond-il.

Moi, je veux bien. Les Romains, ça ne leur va pas. Simon, brave type, essaie de leur expliquer son point de vue :

– C'est pas lourd, cette croix. Le condamné me gêne plus qu'autre chose.

– Le condamné doit porter sa charge, gueule un soldat.

– Je comprends pas. Vous voulez que je l'aide, oui ou non ?

– Tu nous emmerdes. Tire-toi !

Penaud, Simon me regarde comme s'il avait gaffé. Je lui souris. C'était trop beau pour être vrai.

– Merci, lui dis-je.

– Merci à toi, dit-il bizarrement.

Il a l'air tout chose.

Je n'ai pas le temps de le saluer davantage. Il faut que je continue d'avancer en traînant ce poids mort. Je constate ceci qui est imprévisible : la croix pèse moins lourd. Elle reste effroyable, mais l'épisode de Simon a changé la donne. C'est comme si mon ami avait emporté avec lui la part la plus inhumaine de ma charge.

Ce miracle, car c'en est un, ne me doit rien. Trouvez-moi une magie plus extraordinaire dans les Écritures. Vous chercherez en vain.

Il fait affreusement chaud. Mes sourcils ne suffisent plus, la sueur de mon front coule dans mes yeux, je ne vois plus où je vais. Les Romains me guident à coups de fouet, c'est aussi brutal qu'inefficace. Je ne savais pas qu'on pouvait transpirer à ce point. Comment peut-il y avoir en moi tant d'eau et tant de sel ?

Voici qu'un linge me délivre : une étoffe qui me semble douce et délicieuse épouse mon visage en une caresse soyeuse. Qui est capable d'un tel geste ? Quelqu'un d'aussi bon que Simon de Cyrène, mais ce grand escogriffe ne parviendrait pas à m'éponger la face avec une délicatesse pareille.

Je voudrais que cela ne s'arrête pas et en même temps je voudrais voir mon bienfaiteur. Le linge se retire et je me retrouve devant la plus jolie femme de la terre. Elle semble aussi saisie que moi.

L'instant se fige, il n'y a plus de temps, je ne sais plus qui je suis ni ce que je suis venu faire, cela m'est égal, il y a ces grands yeux purs qui me regardent, je n'ai plus de passé ni d'avenir, le monde est parfait, que plus rien ne bouge, on est dans l'imminence de l'ineffable. C'est ça le coup de foudre, il va se passer quelque chose de gigantesque, une musique savante manque à notre désir, mais cette fois on va l'entendre enfin.

– Je m'appelle Véronique, dit-elle.

C'est fou ce qu'une voix d'inconnue peut être belle.

Les coups de fouet me rappellent à la réalité.

La croix m'écrase à nouveau, je me traîne, l'enfer recommence.

Il n'empêche, depuis que je suis au supplice, le sort s'acharne sur moi, tout me tombe dessus, le pire et le meilleur, j'ai rencontré l'amitié et j'ai rencontré l'amour, il y a de quoi ne pas en revenir. Véronique – qui peut-elle être ? –, la musique de sa voix résonne encore dans mes oreilles et je découvre qu'une mélodie peut alléger l'univers et un visage plein de fraîcheur donner la force de porter l'instrument de sa propre torture.

Sur cette planète, il y a Simon de Cyrène et Véronique. Deux courages d'une sublimité sans exemple.

Je rentre dans le siècle. Je lutte. Avec quelles énergies vais-je réussir à éviter le nouvel effondrement ? Une partie de mon cerveau calcule le moment de l'accident. Mes yeux voient l'endroit où cela va m'arriver. Je négocie avec moi-même : « Rien qu'un pas de plus… Rien qu'un demi-pas de plus… »

La chute est un repos illusoire. Il n'empêche

que je savoure de tomber une deuxième fois. Qu'il est bon de se laisser aller et de se soumettre à la loi de la pesanteur ! Une grêle de coups de fouet s'abat aussitôt sur moi, la douce sensation n'aura duré qu'une seconde, mais dans l'état où je suis, les secondes comptent.

Il me semble que je porte et traîne cette croix depuis des heures. C'est sûrement inexact. J'ai du mal à me rappeler ma vie d'avant. Depuis que je monte au calvaire, j'ai été ébloui par un homme puis par une femme. J'ai revu ma mère, aussi. On a beaucoup dit que je préférais les femmes. Préférer un sexe serait à mes yeux un signe de mépris.

Les filles de Jérusalem se pressent autour de moi, en pleurs. J'essaie de les convaincre de sécher leurs larmes :

– Allons, ce n'est qu'un mauvais moment à passer, ça va s'arranger.

Je ne crois pas un mot de ce que je dis. Ça ne va pas s'arranger, ça va empirer. Seulement, leurs sanglots m'empêchent de respirer. Comment aider quelqu'un ? Certainement pas en pleurant devant lui. Simon m'a aidé, Véronique m'a aidé. Aucun des deux ne pleurait. Ils n'arboraient pas non plus de larges sourires, ils agissaient concrètement.

Non, je ne préfère pas les femmes. Je crois qu'elles me protègent. Je n'attribue pas cela à autre chose qu'à la douceur de mon comportement envers elles, qui n'est pas dans les mœurs des hommes d'ici.

Faut-il préciser que je ne préfère pas les hommes non plus ? Il y a des verbes que je fuis, comme préférer ou remplacer – on n'imagine pas combien ces verbes s'équivalent. J'ai vu des gens se battre pour être préférés, sans se rendre compte que cela les rendait remplaçables.

Un jour, on prétendra que personne n'est irremplaçable. C'est le contraire de ma parole. L'amour qui me consume affirme que chacun est irremplaçable. Il est terrible de savoir par avance que mon supplice ne sert à rien.

Ce n'est pas absolument vrai. Il se trouvera

quelques individus pour comprendre. Je n'exclus pas qu'ils n'aient pas besoin de mon sacrifice pour cela. Je ne le saurai jamais. Mieux vaut ne pas en concevoir une amertume qui rendrait mon sort encore plus effroyable.

On a des drôles de pensées quand on traîne cette croix. Appeler cela pensées est exagéré, ce sont des bribes, des courts-circuits. Ce que je porte est beaucoup trop lourd pour moi. Je ne me suis jamais senti aussi misérable.

Dommage que je l'aie ignoré auparavant : ne pas être trop chargé est un idéal de vie suffisant. Sacrée leçon qui ne me sera d'aucune utilité. Je me rappelle avoir marché des journées entières sur les chemins en me félicitant d'être heureux de rien. Je n'étais pas heureux de rien, je savourais la légèreté.

Je m'effondre une troisième fois. Mordre la poussière prend tout son sens. Le sol n'est plus boueux, le soleil a desséché la terre. J'avise le sommet du Golgotha. Pourquoi suis-je pressé d'y arriver ? J'ai peine à croire que je souffrirai plus quand je serai sur la croix que sous la croix, comme maintenant.

C'est une expérience commune : quand on gravit une montagne, on la regarde d'abord du bas, d'où elle ne paraît pas élevée. Il faut arriver au sommet pour se rendre compte de l'altitude. Le Golgotha n'est guère qu'un monticule, mais j'ai l'impression que je n'en finirai jamais de l'escalader.

Je ne sais pas comment j'ai fait pour me remettre debout. Au point où j'en suis, tout est effort, j'ai mal partout. Je dois être solide puisque je ne m'évanouis pas. Les derniers pas sont les pires, je ne peux pas éprouver la joie de qui a vaincu l'épreuve, je sais que ce qui commence ici est d'une nature autre.

On ne tarde pas à me le signaler de la manière la plus simple : on me dépouille de mes vêtements. Ce n'était qu'une robe de lin et une ceinture : je me rends enfin compte de la valeur de ces chiffons.

Tant qu'on est habillé, on est quelqu'un. Je ne

suis plus personne. Je ne suis plus rien. Une petite voix dans ma tête susurre : « On t'a laissé ton pagne. Ça pourrait être pire. » La condition humaine entière se résume ainsi : ça pourrait être pire.

Je n'ose pas regarder les deux crucifiés qui sont déjà en place. Je leur épargne la douleur d'être observé que je viens de vivre longuement.

L'un des deux déclare d'une voix narquoise :

– Si tu es le fils de Dieu, demande à ton père de te sortir de là.

J'admire sincèrement que dans la situation qui est la sienne, il ait l'esprit sarcastique.

J'entends l'autre qui lui dit :

– Tais-toi, il l'a moins mérité que nous.

Souffrir à ce point et avoir à cœur de me défendre, cela me touche. Je remercie cet homme.

Non, je ne lui ai pas dit qu'il était sauvé. Dire une chose pareille à quelqu'un qui est en train de subir un tel supplice, c'est se moquer du monde. Et dire à l'un des deux crucifiés « tu es sauvé » et pas à l'autre, c'eût été le comble du cynisme et de la mesquinerie.

Je précise ces points parce que ce n'est pas ce qui sera écrit dans les Évangiles. Pourquoi ? Je l'ignore. Les évangélistes n'étaient pas à côté de moi quand cela s'est produit. Et quoi qu'on ait pu dire, ils ne me connaissaient pas. Je ne leur en veux pas, mais rien n'est plus irritant que ces gens qui, sous prétexte qu'ils vous aiment, prétendent vous connaître par cœur.

En vérité, j'ai eu pour les deux crucifiés un élan fraternel, pour la simple raison que j'allais bientôt vivre leur supplice. On inventera un jour l'expression « discrimination positive » pour suggérer ce qui aurait pu être mon attitude avec celui qu'on appellera le bon larron. Je n'ai pas d'opinion sur la question, je sais seulement que ces deux hommes m'ont ému chacun à sa manière. Car si j'ai aimé ce qu'a dit le bon larron, j'ai aimé aussi la fierté du mauvais, qui n'était d'ailleurs pas mauvais, je ne vois pas ce qu'il y a de si grave à voler du pain, et je comprends qu'on n'ait pas de remords en une telle situation.

Le moment est venu : je m'allonge sur la croix. Ce que j'ai porté me portera désormais. Je vois arriver les clous et les marteaux. J'ai du mal à respirer, tant j'ai peur. On me cloue les pieds et les mains. C'est rapide, j'ai à peine le temps de me rendre compte. Et puis on dresse ma croix entre celles de mes frères.

C'est là que je découvre cette souffrance incroyable. Avoir des clous au travers des paumes, ce n'était rien comparé à peser dessus, et ce qui est vrai des mains, se multiplie par mille pour les pieds. La règle, c'est surtout de ne pas bouger. Le moindre mouvement décuple une douleur déjà insoutenable.

Je me dis que je vais m'habituer, que les nerfs ne peuvent pas éprouver longtemps une horreur pareille. Je découvre qu'ils en sont hautement capables et que cet appareillage enregistre les variations les plus infimes comme les plus énormes.

Dire que quand je traînais cette croix, je pensais que le but de la vie consistait à ne pas porter de lourdes charges ! Le sens de la vie, c'est de ne pas souffrir. Voilà.

Il n'y a pas moyen d'en sortir. Je suis tout à ma douleur. Aucune idée, aucun souvenir ne peut me délivrer.

Je regarde ceux qui me regardent. « Quel effet cela fait-il, ce qui t'arrive ? » C'est ce que je lis dans les yeux innombrables, qu'ils soient compatissants ou cruels. Si je devais leur répondre, je ne trouverais pas les mots.

Je n'en veux pas aux cruels. D'abord, parce que la souffrance monopolise mes facultés, ensuite, parce que si ma douleur peut apporter du plaisir à quelqu'un, je préfère.

Madeleine est là. Voir ma mère m'avait déplu, voir mon amoureuse m'émeut. Elle est si belle que la compassion ne la défigure pas. Je souffre au point que mon âme hurle, même si ma bouche se tait, faute d'imaginer un cri qui convienne.

Le hurlement de mon âme pénètre Madeleine. Ce n'est pas une métaphore. Est-ce l'excès de douleur ou l'approche de la mort ? Je vois l'amour de Madeleine sous forme de rayons. Le mot rayon ne convient pas exactement, c'est à la fois plus délicat et plus rond, plus concentrique, c'est une onde lumineuse qui émane d'elle et que je reçois, et qui est aussi douce que ce que je lui donne est douloureux.

Je vois le hurlement de mon âme, ou plutôt mon âme sous forme de courant outré qui rejoint l'âme aimante de Madeleine et qui se mêle à la sienne. Et j'en éprouve, sinon un allégement, une très mystérieuse joie.

La soif, que j'avais conservée en guise de botte secrète, se rappelle à moi. C'était une excellente idée. L'extrême tourment de la gorge permet de sortir de l'horreur de mon corps déchiré, il y a un salut concret dans cette altération.

L'onde qui me relie à Madeleine est oblique

et cette obliquité doit moins à ma position surélevée qu'au caractère de sa lumière bleue. Mon amoureuse et moi exultons en secret de ce que nous sommes seuls à savoir.

Et quand je dis seuls, cela signifie que mon père ne le sait pas. Il n'a pas de corps et l'absolu de l'amour que Madeleine et moi vivons en ce moment s'élève du corps comme la musique jaillit de l'instrument. On n'apprend des vérités si fortes qu'en ayant soif, qu'en éprouvant l'amour et en mourant : trois activités qui nécessitent un corps. L'âme y est indispensable aussi, bien sûr, mais ne peut en aucun cas y suffire.

Il y aurait de quoi rire. Je ne m'y risque pas, cela m'arracherait un spasme de douleur. S'il fallait en effet que je meure, il ne fallait en aucun cas que cela se passe de cette manière. J'ai affreusement peur de gâcher ma mort. Je pourrais bien manquer le grand moment, tant je souffre.

Cette crucifixion est une bévue. Le projet de mon père consistait à montrer jusqu'où on pouvait aller par amour. Si seulement cette idée n'était que sotte, elle pourrait demeurer inutile.

Hélas, elle est nuisible jusqu'à l'épouvante. Des théories d'hommes vont choisir le martyre à cause de mon exemple imbécile. Et si ce n'était que cela ! Même ceux qui auront la sagesse d'opter pour une vie simple en seront contaminés. Car ce que mon père m'inflige témoigne d'un si profond mépris du corps qu'il en restera toujours quelque chose.

Père, tu as juste été dépassé par ton invention. Tu pourrais être fier de ce constat, qui prouve ton génie créateur. Au lieu de cela, sous couleur de donner une leçon d'amour édifiante, tu mets en scène la punition la plus hideuse et la plus lourde de conséquences qui se puisse imaginer.

Cela commençait bien, pourtant. Engendrer un fils solidement incarné, c'était une bonne histoire, tu aurais pu y apprendre beaucoup, si seulement tu avais eu à cœur de comprendre ce qui t'échappait. Tu es Dieu : quel sens cela peut-il avoir pour toi, cet orgueil ? S'agit-il même de cela ? L'orgueil n'est pas mauvais. Non, j'y vois un trait ridicule : c'est de la susceptibilité.

Oui, tu es susceptible. Autre signe : tu ne supporteras pas les révélations différentes. Tu t'offusqueras que les hommes des antipodes ou d'à côté vivent la verticalité de diverses façons. Avec parfois des sacrifices humains que tu auras le culot de trouver barbares !

Père, pourquoi agis-tu avec petitesse ? Je blasphème ? C'est vrai. Châtie-moi donc. Peux-tu me châtier davantage ?

Dont acte : voici que je souffre encore mille fois plus fort. Pourquoi fais-tu cela ? Je te critique. Ai-je dit que je ne t'aimais pas ? Je t'en veux, je suis fâché contre toi. L'amour autorise de tels sentiments. Que sais-tu de l'amour ?

C'est bien cela le problème. Tu ne connais pas l'amour. L'amour est une histoire, il faut un corps pour la raconter. Ce que je viens de dire n'a aucun sens pour toi. Si seulement tu avais conscience de ton ignorance !

Ma douleur prend de telles proportions que j'espère mourir au plus vite. Je sais, hélas, que j'en ai encore pour longtemps. La flamme de la vie ne vacille pas. Surtout ne pas bouger, le moindre mouvement se paie au-delà du pensable. Voilà aussi qui est terrible avec l'indignation, c'est qu'elle entraîne un haut-le-corps : les indignés sont incapables d'immobilité.

Accepte, mon ami. Oui, c'est à moi que je parle. Éprouver de l'amitié pour soi-même, c'est ce qu'il faut. De l'amour, ce serait désagréable : l'amour entraîne des excès qu'il serait malsain de s'infliger. La haine, c'est pareil en plus injuste. Je suis mon ami, j'ai de l'affection pour l'homme que je suis.

Accepte, non que ce soit acceptable, mais parce que tu souffriras moins. Ne pas accepter, c'est bien quand c'est utile : ici cela ne servira à rien.

Ne disposes-tu pas d'un genre de tiercé gagnant ? Les trois situations les plus radicales, tu les as résumées : la soif, l'amour, la mort. Tu es à l'intersection des trois. Profite, mon ami. Ce verbe est abject. Je ne peux quand même pas dire « réjouis-toi », j'aurais l'air de me moquer de moi-même.

Le fait est là : c'est le cas de le dire, je vis une expérience cruciale. Je ne peux pas mettre de côté cette souffrance, alors je me plonge dans la soif pour, sinon y échapper, du moins biaiser.

Quelle soif grandiose ! Un chef-d'œuvre d'altération. Ma langue s'est transformée en pierre ponce, quand je la frotte contre mon palais, c'est abrasif. Explore ta soif, mon ami. Elle est un voyage, elle te conduit à une source, que c'est beau, entends-tu, oui, c'est la bonne chanson, il faut tendre l'oreille, il y a des musiques qui se méritent, ce tendre murmure me réjouit jusqu'à mes tréfonds, j'ai en bouche ce goût de pierre. Il y aura un pays si pauvre qu'en son idiome boire et manger seront un seul verbe employé avec la dernière parcimonie, boire, c'est un peu manger des galets liquides – non, cela ne fonctionne que si l'eau suinte, et dans mon voyage, elle ne suinte pas, elle jaillit, je me couche de manière à m'y aboucher, elle m'aime comme aime la source élue. Bois-moi sans limites mon aimé, que ta soif te comble et jamais ne s'étanche puisque ce mot n'existe en aucune langue.

Comment s'étonner que la soif mène à l'amour ? Aimer, cela commence toujours par boire avec quelqu'un. Peut-être parce qu'aucune sensation n'est si peu décevante. Une gorge sèche se figure l'eau comme l'extase et l'oasis est à l'épreuve de l'attente. Celui qui boit après le désert ne se dit jamais : « C'est surfait. » Offrir une boisson à celle que l'on s'apprête à aimer, c'est suggérer que la délectation sera au moins à la hauteur de l'espérance.

Je me suis incarné dans un pays de sécheresse. Il fallait non seulement que je naisse là où la soif exerçait son règne, mais aussi que sévisse la chaleur.

Pour le peu que je connais du froid, il eût faussé la donne. Ce n'est pas seulement qu'il endort la soif, c'est qu'il rétracte les sensations annexes. Celui qui a froid n'a que froid. Celui qui crève de chaud est très capable de souffrir en même temps de mille choses.

Je suis encore sacrément vivant. Je sue – d'où vient tout ce liquide ? Mon sang circule, il coule de mes plaies, la douleur bat son plein, j'ai si mal que la géographie de ma peau s'en trouve modifiée, j'ai l'impression que les zones les plus sensibles de ma personne se mettent désormais dans mes épaules et mes bras, c'est cette position qui est intolérable, dire qu'un être humain a eu un jour l'idée de la crucifixion, il fallait y penser, l'échec de mon père est dans ce constat, sa créature a inventé de tels supplices.

Aime ton prochain comme toi-même. Enseignement sublime dont je suis en train de professer le contraire. J'accepte cette mise à mort monstrueuse, humiliante, indécente, interminable : celui qui accepte cela ne s'aime pas.

Je peux me réfugier derrière l'erreur paternelle. En effet, son projet relevait de la bévue pure et simple. Mais moi, comment ai-je pu me tromper à ce point ? Pourquoi ai-je attendu d'être sur la croix pour m'en rendre compte ? Je l'avais soupçonné, certes, mais pas au point de refuser l'affaire.

L'excuse qui me vient à l'esprit, c'est que j'ai procédé comme n'importe qui : j'ai vécu au jour le jour sans trop réfléchir aux conséquences. J'aime cette version où je n'ai été qu'un homme – et comme j'ai aimé l'être !

Hélas, je ne peux pas me voiler la face, il y a eu autre chose de pire que la soumission au père, de pire que tout. L'amitié que je me suis accordée il y a peu arrive trop tard. Si j'ai accepté l'innommable, ce n'est pas uniquement en vertu d'une inconscience qui me disculperait, c'est parce qu'il y a en moi le poison commun : la haine de soi.

Comment ai-je pu l'attraper ? J'essaie de

remonter dans ma mémoire. Dès que j'ai su à quoi j'étais voué, je me suis haï. Mais je me rappelle des souvenirs d'avant les souvenirs, des bribes où je ne disais pas *je*, où la conscience ne m'avait pas atteint, et où je ne me haïssais pas.

Je suis né innocent, quelque chose a été gâché, j'ignore comment. Je n'en accuse personne d'autre que moi. Étrange faute que celle que l'on commet vers l'âge de trois ans. S'en accuser augmente la haine de soi, absurdité supplémentaire. Il y a un vice de forme dans la création.

Et voici que, comme tout le monde, je rends mon père responsable de mon échec. Cela m'agace. Maudite soit la souffrance ! Sans elle, chercherait-on toujours un coupable ?

Ouvrier de la dernière heure, j'essaie enfin de devenir mon ami. Il faut que je me pardonne de m'être si gravement fourvoyé. Le plus difficile consiste à me convaincre de mon ignorance. Est-ce que vraiment je ne savais pas ?

Une voix intérieure m'assure que je savais. Alors, comment ai-je pu ? Se haïr soi-même est affreux, mais moi qui prêchais « Aime ton prochain comme toi-même », je suis forcé d'admettre la logique : comment ai-je pu haïr les autres ? Et les haïr à ce point ?

Cette comédie atroce n'était-elle donc que l'œuvre du diable ?

Oh, j'en ai assez de celui-là. Dès que ça foire, on l'invoque. C'est facile. Là où je suis, je m'autorise tous les blasphèmes : je ne crois pas au diable. Croire en lui, c'est inutile. Il y a bien assez de mal sur terre sans en rajouter une couche.

Les gens qui assistent à mon supplice sont pour la plupart ce qu'il est convenu d'appeler de bonnes personnes, je le dis sans ironie. Je regarde dans leurs yeux et j'y vois largement assez de mal pour fonder, non seulement ma mésaventure, mais aussi toutes celles passées et à venir. Même le regard de Madeleine en contient. Même le mien. Je ne connais pas mon regard, je sais pourtant ce qu'il y a en moi : j'ai accepté mon sort, je n'ai pas besoin d'un autre signe.

Ne pas se satisfaire de cette explication et nommer Diable ce qui n'est qu'une bassesse latente, c'est parer la mesquinerie d'un mot grandiose et donc lui attribuer un pouvoir mille fois supérieur. Une femme géniale dira un jour : « Je crains moins le démon que ceux qui craignent le démon. » Tout est dit.

D'aucuns diront que si l'on baptise le bien du nom de Dieu, il est fatal que l'on baptise aussi le mal. Où allez-vous chercher que Dieu est le bien ? Est-ce que j'ai l'air de l'être ? Est-ce que mon père, qui a imaginé ce que j'ai accepté, est crédible dans ce rôle ? Il ne le revendique pas, d'ailleurs. Il se veut amour. L'amour n'est pas le bien. Il y a une intersection entre les deux, et encore, pas toujours.

Et même ce qu'il déclare être, l'est-il ? La force de l'amour est parfois si difficile à différencier des courants qu'elle côtoie. C'est par amour envers sa création que mon père m'a livré. Trouvez-moi acte d'amour plus pervers.

Je ne m'en innocente pas. À trente-trois ans, j'ai eu plus que le temps de réfléchir à la scélératesse de cette histoire. Il n'existe pas une seule manière de la justifier. La légende affirme que j'expie les péchés de toute l'humanité qui précède. Quand ce serait vrai, que deviennent donc les péchés de l'humanité qui suivra ? Je ne peux pas plaider l'ignorance puisque je sais ce qui va se passer. Et même si je l'ignorais, quelle espèce d'imbécile faudrait-il être pour en douter ?

D'autre part, comment croire que mon supplice expie quoi que ce soit ? L'infini de ma souffrance n'efface en rien celle des malheureux qui l'ont endurée avant moi. L'idée même d'une expiation répugne par son absurde sadisme.

Si j'étais masochiste, je me pardonnerais. Je ne le suis pas : aucune trace de volupté dans l'horreur que j'éprouve. Il faut cependant que je me pardonne. Dans le fatras de paroles que je suis venu déverser, l'unique qui puisse sauver, c'est : pardon. Je suis en train d'en offrir un contre-exemple saisissant. Pardonner n'exige aucune contrepartie, c'est juste un élan du cœur qu'il s'agit de ressentir. Comment l'expliquer alors que je me sacrifie ? Imaginez un être qui dans l'idée de persuader les gens de devenir végétariens immolerait un agneau : on lui rirait au nez.

Et moi, je suis pile dans cette situation. Aime ton prochain comme toi-même, ne lui inflige pas ce que tu ne supporterais pas, s'il s'est mal conduit envers toi, n'exige pas sa punition, tourne la page avec générosité. Illustration : je me hais au point de m'infliger cette atrocité, ma punition est le prix à payer pour les erreurs que vous avez commises.

Comment ai-je pu en arriver là ? Il me vient peu à peu à l'esprit que cette accumulation de prétéritions représente le comble de l'argument *a fortiori* : si, au degré de culpabilité qui est le mien, je parviens à me pardonner, alors tout serait accompli.

En suis-je capable ?

Il y a mille manières d'envisager mon acte. Impossible de déterminer la plus abominable. Prenons celle qui sera officielle : je me sacrifie pour le bien de tous. Infect ! Un père mourant appelle ses enfants à son chevet et leur dit :

– Mes chéris, j'ai eu une vie de chien, je ne me suis autorisé aucun plaisir, j'ai exercé un métier détestable, je n'ai pas dépensé un sou, et tout cela je l'ai fait pour vous, pour que vous ayez un bel héritage.

Ceux qui appellent cette idée de l'amour sont des monstres. Je l'ai proférée. Ainsi, j'ai officialisé qu'il fallait se conduire de cette façon.

Prenons ma mère. Je le répète, c'est une femme meilleure que moi. Elle est si bonne qu'elle n'est pas là : elle sait que sa présence augmenterait mon mal. Pour autant, elle n'ignore pas ce qui m'arrive. Ce qu'elle subit est infiniment pire que ce que je subis, à cette différence colossale qu'elle ne l'a ni choisi ni accepté. Je suis celui qui inflige cette douleur à sa mère.

Madeleine : elle et moi, nous sommes reliés. Je suis amoureux d'elle comme elle est amoureuse de moi. Inversons l'actualité : je suis à sa place, j'assiste à la crucifixion de Madeleine en sachant qu'elle l'a voulue.

– Je vivais l'amour fou avec toi et, néanmoins, j'ai choisi le supplice public. Bonne nouvelle, amour : tu as le droit de me regarder.

Je peux continuer longtemps ainsi. Dans l'assemblée que j'ai sous les yeux, il y a des enfants. Avant la puberté, nous sommes autres, non pas innocents, nous sommes capables de nuire, mais nous n'avons pas de filtre, nous sommes de plain-pied avec tout. En cet instant, des êtres à ce point disponibles sont en train de se laisser imprégner par une telle abjection.

Suis-je capable de me pardonner ça ?

J'emploie *ça* à dessein. Cela pour dire la crucifixion, je refuse. C'est beaucoup trop élégant et précieux. Ce que je vis est laid et grossier. Si au moins je pouvais compter sur le rapide oubli des peuples ! Ce qui m'écrase le plus est de savoir qu'on va en parler pour les siècles des siècles, et pas pour décrier mon sort. Aucune souffrance humaine ne fera l'objet d'une aussi colossale glorification. On va me remercier pour ça. On va m'admirer pour ça. On va croire en moi pour ça.

Pour ça, que je ne parviens précisément pas à me pardonner. Je suis responsable du plus grand contresens de l'Histoire, et du plus délétère.

Je ne peux pas plaider la soumission à mon père. À son égard, j'ai accumulé les désobéissances. À commencer par Madeleine : je n'avais droit ni à la sexualité ni à l'état amoureux. Avec Madeleine, je n'ai pas hésité à passer outre. Et je n'ai pas été puni.

Mais non, voyons. Je suis d'un comique imbécile de penser que j'ai bénéficié de l'impunité de mon père en bravant ses interdits avec Madeleine. En vérité, j'étais châtié d'avance.

Ou alors, mon tort a-t-il été de le croire. J'ai

tellement cru à ma condamnation que je n'ai pas imaginé une autre possibilité.

Même s'il n'est plus temps, imaginons.

Au Jardin des Oliviers, Madeleine serait venue me rejoindre. En quelques baisers, elle m'aurait convaincu de choisir la vie. Nous nous serions enfuis ensemble, nous serions allés habiter une terre lointaine, vierge de ma réputation, et nous y aurions coulé la merveilleuse existence des gens ordinaires. Chaque nuit, je me serais endormi en serrant ma femme contre moi, chaque matin, je me serais réveillé auprès d'elle. Il n'y a pas de bonheur qui égale cette hypothèse.

Ce qui ne va pas dans cette version, c'est que je fais dépendre mon choix de Madeleine. Qu'est-ce qui m'empêchait d'avoir cette idée tout seul ? Je n'aurais eu qu'à la retrouver et à lui tendre la main. Elle m'aurait accompagné sans hésiter.

Je n'y ai même pas pensé.

Des miracles, j'en ai accompli. Là, je ne pourrais plus. Je souffre beaucoup trop pour accéder à l'écorce. Le pouvoir de l'écorce, je ne l'obtenais que grâce à une inconscience absolue. L'excès de ma douleur me barre désormais la route. Je jure que si je pouvais accomplir un dernier miracle, je me délivrerais de cette croix.

Espèce de songe-creux, vas-tu arrêter de te faire du mal ? Oui, c'est à moi que je parle ainsi.

Il faut que je me pardonne. Pourquoi est-ce que je n'y arrive pas ?

Parce que j'y pense. Plus j'y pense, moins je me pardonne.

Ce qui empêche de pardonner, c'est la réflexion.

Je dois me pardonner sans réfléchir. Cela ne dépend que de ma décision, pas de l'horreur de mon acte. Je dois décider que c'est fait.

J'avais dix ans, je jouais avec les enfants du village, on se jetait dans le lac du haut du surplomb, je n'y arrivais pas. Un gosse m'a dit :

– Il faut sauter sans réfléchir.

J'ai obtenu ce vide dans ma tête et j'ai sauté.

Il s'est passé longtemps avant que je me retrouve dans l'eau. J'ai adoré cette exaltation.

Il faut que j'obtienne ce vide dans ma tête. Créer du rien là où sévit le vacarme. Ce qu'on appelle pompeusement « pensée » n'est jamais qu'un acouphène.

J'y suis.

Je me pardonne.

C'est fait. C'est un verbe performatif. Il suffit de le dire – comme il faut le dire, au sens absolu du verbe – et c'est accompli.

Je viens de me sauver et donc de sauver tout ce qui est. Mon père le sait-il ? Sûrement pas. Il n'a aucun sens de l'improvisation. Ce n'est pas sa faute : pour être capable d'improviser, il faut avoir un corps.

J'en ai encore un. Je n'ai jamais été aussi incarné : la souffrance me cloue à mon corps. L'idée de le quitter m'inspire des sentiments contrastés. Malgré l'immensité de ma douleur, je me rappelle ce que je dois à cette incarnation.

Au moins, j'ai cessé de me torturer dans ma tête. C'est un allégement considérable de plonger dans le regard de Madeleine : elle sent que c'est gagné. Elle acquiesce.

Depuis combien de temps suis-je sur cette croix ?

Les lèvres de Madeleine esquissent des paroles que je n'entends pas. Comme c'est à moi qu'elle s'adresse, je vois la trajectoire dorée de ses mots se diriger vers moi. Le crépitement d'étincelles dure plus longtemps que sa phrase, je reçois en pleine poitrine leur impact.

Fasciné, je l'imite. Je prononce des mots inaudibles à son adresse et je les vois sortir de moi sous la forme d'un faisceau d'or et je sais qu'elle les incorpore.

Les autres ont toujours leur air apitoyé. Ils n'ont pas compris. Il faut reconnaître que ce qui fait ma victoire est ténu.

Je ne suis pas encore mort. Comment tenir jusqu'au bout ? Si étrange que cela puisse paraître, je sens que je pourrais m'effondrer, ce qui signifie que je ne le suis pas.

Afin d'éviter l'effondrement, je recours à la bonne vieille méthode : l'orgueil. Le péché d'orgueil ? Si vous voulez. Au point où j'en suis, ce péché me semble si dérisoire que je me le pardonne d'avance.

Orgueil, oui : j'occupe en ce moment une place qui va obséder l'humanité pendant des millénaires. Que ce soit un malentendu n'y change rien.

Il sera donné à une seule personne d'avoir ce poste d'observation, non que je sois l'ultime crucifié de l'espèce – ce serait trop beau –, mais parce qu'aucune crucifixion n'aura jamais pareil retentissement. Mon père m'a choisi pour ce rôle. C'est une erreur, une monstruosité, mais cela demeurera l'une des histoires les plus bouleversantes de tous les temps. On l'appellera la Passion du Christ.

Nom judicieux : une passion désigne ce que l'on subit et, par conséquence sémantique, un excès de sentiment auquel la raison n'a pas pris part.

Mon père n'a pas eu tort de m'attribuer ce rôle. Je conviens. J'ai été capable d'assez d'aveuglement pour me tromper à ce point, d'assez d'amour pour me pardonner, et d'assez d'orgueil pour garder la tête haute.

J'ai commis la plus grande des fautes. Elle aura des conséquences incalculables. Eh bien voilà : il est dans la nature des fautes d'avoir des conséquences. Si moi je peux me pardonner, alors tous ceux qui se tromperont gravement pourront se pardonner.

– Tout est accompli.

Je l'ai dit. Je m'en aperçois après avoir parlé. Tout le monde a entendu.

Mes paroles provoquent l'affolement. Le ciel s'assombrit d'un coup. Je n'en reviens pas du pouvoir de mes mots. J'aimerais parler davantage pour déclencher d'autres phénomènes mais je n'en ai pas la force.

Luc écrira que j'ai dit : « Père, pardonne-leur, car ils ne savent pas ce qu'ils font. » Contresens. C'est à moi que je devais pardonner : je suis plus fautif que les hommes et ce n'est pas à mon père que j'ai demandé pardon.

Je suis soulagé de ne pas l'avoir dit : c'eût été de la condescendance envers les hommes. La condescendance est la forme de mépris que j'exècre le plus. Et franchement, je ne suis pas en situation de mépriser l'humanité.

Je n'ai pas dit non plus à Jean (qui n'était pas plus là que les autres disciples) : « Voici ta mère », ni à ma mère (qui avait la bonté d'être absente) : « Mère, voici ton fils. » Jean, je t'aime beaucoup. Cela ne t'autorise pas à dire n'importe quoi. En même temps, cela n'a guère d'importance.

Il faut que je m'économise : j'ai atteint le stade où parler produit enfin l'effet voulu. Quelle performance langagière veux-je obtenir ?

La réponse me saute au cœur. Du plus profond de moi jaillit le désir qui me ressemble le plus, mon besoin chéri, ma botte secrète, mon identité véritable, ce qui m'a fait aimer la vie, ce qui me la fait aimer encore :

– J'ai soif.

Demande stupéfiante. Personne n'y avait songé. Quoi, cet homme qui souffre à ce point depuis des heures peut avoir un besoin aussi commun ? On trouve ma supplique aussi bizarre que si je demandais un éventail.

C'est la preuve que je suis sauvé : oui, au degré de douleur où je suis arrivé, je peux encore trouver mon bonheur dans une gorgée d'eau. Ma foi est intacte à ce point.

De toutes les paroles que j'ai prononcées sur la croix, c'est de beaucoup la plus importante, c'est même la seule qui compte. En quittant l'enfance, on apprend à ne plus contenter sa faim dès qu'elle apparaît. Personne n'apprend à différer le moment d'étancher sa soif. Quand celle-ci surgit, on l'invoque comme l'urgence indiscutable. On interrompt son activité quelle qu'elle soit, on cherche de quoi boire.

Je ne critique pas, boire est si délicieux. Je regrette néanmoins que nul n'explore l'infini de la soif, la pureté de cet élan, l'âpre noblesse qui est la nôtre à l'instant où nous l'éprouvons.

Jean 4,14 : « Celui qui boit de cette eau n'aura plus jamais soif. » Pourquoi mon disciple préféré profère-t-il un tel contresens. L'amour de Dieu, c'est l'eau qui n'étanche jamais. Plus on en boit, plus on a soif. Enfin une jouissance qui ne diminue pas le désir !

Faites l'expérience. Quelle que soit votre préoccupation physique ou mentale, couplez-la avec une vraie soif. Votre quête s'en trouvera aiguisée, précisée, magnifiée. Je ne demande pas de ne jamais boire, je suggère d'attendre un peu. Il y a tant à découvrir dans la soif.

À commencer par la joie de boire, que l'on ne célèbre jamais assez. On se moque du propos d'Épicure : « Un verre d'eau et je crève de jouissance. » Comme on a tort !

En vérité, je vous le dis, tout clouté que je suis, un verre d'eau me ferait crever de jouissance. Je me doute que je ne l'aurai pas. Je suis déjà fier d'en avoir le désir et heureux de savoir que d'autres que moi connaîtront ce plaisir.

Évidemment, personne n'a prévu ce cas de figure. Sur le Golgotha, il n'y a pas d'eau. Et même s'il y en avait, il n'y aurait pas moyen de se hisser jusqu'à ma tête pour porter un gobelet à mes lèvres.

J'entends, au pied de la croix, un soldat dire à son chef :

– J'ai de l'eau mêlée de vinaigre. Je lui en tends sur une éponge ?

Le supérieur l'y autorise, sans doute parce qu'il ne mesure pas l'importance de ma requête. Je frémis à l'idée d'éprouver une dernière fois une sensation pareille. J'écoute le bruit de l'éponge qui se gorge de liquide : ce son voluptueux me chavire de bonheur. Le soldat plante l'éponge au bout d'une lance et la hausse jusqu'à ma bouche.

Si épuisé que je sois, je mords l'éponge et j'aspire son suc. J'exulte. Que c'est bon. Ce goût de vinaigre, quelle merveille ! Je tète ce liquide sublime dont l'éponge est si riche, je bois, je suis tout entier dans le délice. Je ne laisse pas une seule goutte dans l'éponge.

– Il m'en reste, dit le soldat. Je lui tends à nouveau l'éponge ?

Le chef refuse :

– Ça suffit.

Suffire. Quel verbe horrible ! En vérité, je vous le dis : rien ne suffit.

Le supérieur n'a pas davantage de motifs de refuser qu'il n'en avait d'autoriser. Le commandement est une tâche obscure. Je m'estime heureux d'avoir pu boire une ultime fois, même si ma soif n'est aucunement étanchée. J'ai réussi.

L'orage va éclater. Les gens voudraient que je meure. Ça commence à bien faire, cette agonie qui n'en finit pas. Moi aussi, j'aimerais mourir vite. Il n'est pas dans mon pouvoir de précipiter ce trépas.

Le ciel se déchire, éclair, tonnerre, averse. La foule se disperse, mécontente, encore heureux que c'était gratuit, il n'est même pas mort, il ne s'est rien passé.

Je n'ai pas la force de tendre la langue pour

attraper la pluie, mais elle mouille mes lèvres, et j'éprouve la joie sans nom de respirer encore une fois le meilleur parfum du monde qui portera un jour le beau nom de pétrichor.

Madeleine est toujours là, devant moi, la mort sera parfaite, il pleut et j'ai les yeux dans ceux de la femme que j'aime.

Voici venu le grand instant. La souffrance disparaît, mon cœur se desserre comme une mâchoire et reçoit une charge d'amour qui dépasse tout, c'est au-delà du plaisir, tout s'ouvre à l'infini, il n'y a pas de limites à ce sentiment de délivrance, la fleur de la mort n'en finit pas d'épanouir sa corolle.

L'aventure commence. Je ne dis pas : « Père, pourquoi m'as-tu abandonné ? » Je l'ai pensé beaucoup plus tôt, mais là je ne le pense pas, je ne pense rien, j'ai mieux à faire. Mes dernières paroles auront été : « J'ai soif. »

Il m'est donné d'entrer dans l'autre monde sans rien quitter. C'est un départ sans séparation. Je ne suis pas arraché à Madeleine. J'emporte son amour là où tout débute.

Mon ubiquité a enfin une signification : je suis à la fois dans mon corps et hors de lui. Je lui suis trop attaché pour ne pas laisser en lui une part de ma présence : l'excès de douleur que j'ai éprouvé ces dernières heures n'était pas la meilleure façon de l'habiter. Je ne me sens pas amputé de lui, au contraire, j'ai l'impression de recouvrer certains de ses pouvoirs, comme l'accès à l'écorce.

Le soldat qui m'avait donné à boire constate mon décès. Cet homme ne manque pas de discernement : la différence n'est pas flagrante. Il avertit son chef qui me regarde d'un air dubitatif. Ce moment m'amuse : si je n'étais pas tout à fait mort, qu'est-ce que cela changerait ? Faut-il que ce centurion croie en ma magie pour redouter une tromperie ! Franchement, là, si je voulais ressusciter, j'en serais incapable pour une raison simple : je suis épuisé. Mourir fatigue.

Le chef ordonne au soldat de me transpercer le cœur avec sa lance. Cet ordre bouleverse le malheureux qui m'a pris en affection : cette lance qui a servi à m'abreuver avec l'éponge, il répugne à y recourir pour me blesser.

Le supérieur s'énerve, il exige d'être obéi aussitôt. Il faut vérifier si je suis mort, exécution ! Le soldat pointe sa lance vers mon cœur, il l'évite exprès, comme s'il voulait ménager cet organe, il me transperce juste en dessous, je ne m'y connais pas assez en anatomie pour préciser ce qu'il a atteint, je sens le tranchant de son arme en moi, mais je n'ai pas mal. Un liquide s'écoule qui n'est pas du sang.

Convaincu, le centurion annonce :

– Il est mort !

Les rares personnes encore debout devant moi s'en vont, tête basse, à la fois désolées et rassurées. La plupart attendaient un miracle : il s'est produit sans être remarqué. Tout ceci a paru très peu spectaculaire, c'était une crucifixion ordinaire, s'il n'y avait pas eu un orage à la fin, on aurait vraiment eu le sentiment que l'Éternel s'en fichait.

Madeleine court prévenir ma mère :

– Ton fils ne souffre plus.

Elles tombent dans les bras l'une de l'autre. La partie de moi qui survole désormais mon corps les voit et s'en émeut.

Madeleine prend la main de ma mère et la conduit au Golgotha. Le centurion a ordonné au soldat et à deux comparses de me descendre de la croix, qui repose sur le sol. On a la délicatesse d'enlever les clous de mes mains et de mes pieds avant de m'en détacher, afin qu'ils ne soient pas déchiquetés. J'avoue que je suis sensible à cette attention : j'aime mon corps, je ne voudrais pas qu'on le maltraite davantage.

Ma mère demande qu'on lui remette mon cadavre et personne ne lui conteste ce droit. Depuis que les Romains ne doutent plus de mon décès, c'est fou ce qu'ils sont gentils. Qui croirait que ce sont les mêmes qui m'ont brutalisé depuis le matin ? Ils semblent sincèrement touchés par cette femme venue réclamer la dépouille de son fils.

J'aime cet instant. L'étreinte maternelle est d'une douceur extrême, ce sont d'ultimes retrouvailles, j'en ressens la caresse et l'amour, les mères dont un enfant meurt ont besoin du corps du disparu, précisément pour qu'il ne soit pas disparu.

Autant j'avais détesté rencontrer ma mère après la première chute sous le poids de la croix, autant j'aime être une dernière fois dans ses bras. Elle ne pleure pas, à croire qu'elle sent mon bien-être, elle me dit des mots adorables, mon tout-petit, mon oisillon, mon agneau de lait, elle pose des baisers sur mon front et mes joues, j'en tressaille d'émotion et, curieusement, je ne doute pas qu'elle s'en rende compte. Elle n'a pas l'air triste, au contraire. Ce que l'on appelle ma mort l'a rajeunie de trente-trois ans, comme elle est jolie, mon adolescente de mère !

Maman, quel privilège d'être ton fils ! Une mère qui a le talent de faire sentir à son enfant combien elle l'aime, c'est la grâce absolue. Je reçois cette ivresse qui est moins universelle qu'on ne le pense. Je suis pâmé de plaisir.

Curieux statut de mon corps, mort à la souffrance mais pas à la joie ! Je ne sais même pas si j'ai recours à la puissance de l'écorce, c'est comme si le miracle en jaillissait spontanément, ma peau est vivante qui vibre de bonheur et ma mère recueille entre ses bras ce tressaillement.

La descente de la croix est une scène qui va donner lieu à un très grand nombre de représentations artistiques : la majorité d'entre elles témoigneront de cette ambiguïté. Marie a presque toujours l'air de se rendre compte d'une anomalie qu'elle tait. Quant à ma pâmoison, elle apparaît à chaque fois.

C'est bien vu : même les moins mystiques des peintres se doutent que ma mort est une récompense. C'est mon repos du guerrier. Qu'il y ait ou non une survie de l'âme, comment ne pas soupirer de soulagement pour ce malheureux dont le supplice est fini ?

Moi qui ai accès aux œuvres d'art du monde entier et des siècles des siècles, j'aime regarder les descentes de croix. Je ne jette jamais le moindre coup d'œil aux scènes qui me représentent crucifié : rien qui rappelle le supplice. Mais je suis très ému par les statues ou les tableaux où je vois ma dépouille dans les bras de ma mère. Me frappe la justesse du regard des artistes.

Certains, et non les moindres, ont senti le rajeunissement de ma mère. Aucun des textes ne le mentionne, probablement parce que ce n'est pas censé être important. La *mater dolorosa* a d'autres chats à fouetter que ses rides, d'accord.

D'habitude, c'est le défunt qui semble rajeuni sur son lit de mort. Ce n'est pas mon cas. En effet, après une crucifixion, on prend un coup de vieux. Tout se passe comme si c'était ma mère qui bénéficiait de la fameuse bouffée de jeunesse *post mortem*. J'aime cette manière dont nos corps sont reliés.

Sur la *Pietà* de l'entrée de la basilique Saint-Pierre, Marie a l'air d'avoir seize ans. Je pourrais être son père. Le rapport est à ce point inversé que ma mère devient mon orpheline.

Quoi qu'il en soit, les représentations de *mater dolorosa* sont toujours des hymnes à l'amour. La mère reçoit le corps de son enfant avec d'autant plus d'ivresse que c'est la dernière fois.

Elle pourra se recueillir sur sa tombe chaque jour, elle sait que rien ne vaut l'étreinte : oui, même avec un corps mort, tout l'amour du monde ne s'exprime jamais aussi bien que par l'embrassement.

Je suis là. Je n'ai pas cessé d'être là. D'une autre manière, certes, mais je suis là.

Nul besoin de croire en quoi que ce soit pour sonder le mystère de la présence. C'est l'expérience commune. Combien de fois est-on là sans être présent ? On ne sait pas forcément à quoi c'est dû.

« Concentre-toi », se dit-on. Cela signifie « rassemble ta présence ». Quand on parle d'un élève dissipé, on évoque ce phénomène d'une présence qui se disperse. Il suffit pour cela d'être distrait.

La distraction n'a jamais été mon fort. Être Jésus, c'est peut-être cela : quelqu'un de présent pour de vrai.

Il m'est difficile de comparer. Je suis comme

les autres en ceci que je n'ai accès qu'à mon expérience. Ce qu'on appelle mon omniscience me laisse dans une vaste ignorance.

Le fait est là : quelqu'un de présent pour de vrai, cela ne court pas les rues. Mon tiercé gagnant – l'amour, la soif, la mort – enseigne aussi trois manières d'être formidablement présent.

Quand on tombe amoureux, on devient présent à un point phénoménal. Par la suite, ce n'est pas l'amour qui se dissipe, c'est la présence. Si vous voulez aimer comme au premier jour, c'est votre présence qu'il faut cultiver.

L'assoiffé est dans une telle présence que c'en est gênant. Nul besoin de gloser là-dessus.

Mourir, c'est faire acte de présence par excellence. Je n'en reviens pas de ces gens innombrables qui espèrent mourir dans leur sommeil. Leur erreur est d'autant plus profonde que mourir en dormant ne garantit pas l'inadvertance. Et pourquoi veulent-ils celle-ci au moment le plus intéressant de leur existence ? Par bonheur, personne ne meurt sans s'en rendre compte, pour ce motif que c'est impossible. Même le plus distrait est soudain rappelé au présent quand il trépasse.

Et après ? Personne ne sait.

Moi, je sens que je suis là. D'aucuns affirmeront que c'est une illusion de la conscience. Pourtant, chacun a remarqué l'extrême présence des morts. Peu importe la croyance. Quand quelqu'un meurt, c'est fou ce qu'on pense à lui. Pour beaucoup de gens, c'est carrément le seul moment où l'on pense à eux.

Ensuite, cela a tendance à s'estomper. Ou pas. Il y a des résurgences extraordinaires. Des individus auxquels on se met à penser dix ans, cent ans, mille ans après leur décès. Peut-on nier que cela relève de la présence ?

Ce que l'on voudrait savoir, c'est si cette présence est consciente. Le mort sait-il qu'il est là ? Je prétends que oui, mais comme je suis mort, on va dire que je prêche pour ma chapelle. Admettons que je ne sois pas n'importe quel mort.

Là encore, je ne sais pas. Je n'ai jamais été un autre mort que moi. Peut-être que tous les morts se sentent aussi présents que moi.

Ce qui disparaît quand on meurt, c'est le temps. Étrangement, il faut du temps pour s'en apercevoir. La musique devient l'unique chose qui permet d'en avoir encore une vague notion : sans son déroulement, le mort ne comprendrait plus rien à ce qui s'écoule.

Au bout de plusieurs chants, j'ai été mis dans le sépulcre. Beaucoup de gens sont plus effrayés par leur enterrement que par leur décès : c'est une terreur qui n'a rien d'absurde. Mourir, pourquoi pas ? Être enfermé dans un caveau, éventuellement avec d'autres cadavres, quel cauchemar ! La crémation, qui rassure certaines personnes, en apeure d'aucuns. C'est une crainte qui se défend. Ceux qui crient haut et fort : « faites de mon corps ce que vous voudrez, je m'en fiche ! Je serai mort, cela m'est égal » n'ont sans doute pas beaucoup réfléchi. Ont-ils donc si peu de respect pour la portion de matière qui leur a permis de connaître la vie pendant tant d'années ?

Je n'ai pas de suggestion quant à cette question ; il faut un rite, voilà tout. Et ça tombe bien, il y en a toujours un. Dans mon cas, il a été vite expédié, ce qui est normal quand il s'agit d'un condamné. Une exécution suivie de funérailles nationales, on n'en a jamais vu.

J'ai été enveloppé, avec des gestes très doux, dans un linceul, et entreposé en un renfoncement du caveau, un genre de couchette. Les gens ont pris congé de moi et ont refermé la porte du sépulcre.

Alors, j'ai connu ce moment de pur vertige : être laissé seul avec sa mort. Cela aurait pu très mal se passer. Est-ce parce que je suis Jésus que ç'a été si merveilleux ? J'espère que non. Je voudrais que ce soit ainsi pour le plus de morts possible. Dès que tout a été fini a commencé ma fête. Mon cœur a explosé de réjouissance. Une symphonie de liesse a retenti en moi. Je suis resté allongé pour explorer cette joie jusqu'à l'instant où je n'en ai plus été capable. Je me suis levé et j'ai dansé.

Les musiques les plus grandioses du présent,

du passé et du futur ont déferlé en mon sein et j'ai connu l'infini. D'habitude, il faut du temps pour comprendre la beauté d'un morceau et s'en exalter. Là, il m'a été donné de déceler le sublime à la première écoute. Ces musiques n'étaient pas toutes humaines, même si beaucoup l'étaient : elles provenaient aussi des planètes, des éléments et des animaux et d'autres origines pas forcément identifiables.

Il y avait également à cette joie un aspect mécanique : dans nos états d'esprit, les hauts ont tendance à succéder aux bas. Mais j'ai été touché de constater que ce principe de compensation fonctionnait après la mort.

Lorsque le caveau n'a plus suffi à contenir mon exultation, je suis sorti. On s'est beaucoup demandé par quelle magie j'y suis arrivé. Cela m'a été si naturel que je ne peux pas répondre. J'ai aimé me retrouver dehors. Le silence qui a suivi la musique a été un délice que j'ai hautement apprécié.

Il y avait du vent et j'ai respiré à pleins poumons. Ne me demandez pas comment un mort y parvient. Les amputés gardent la sensation du membre perdu, j'imagine que ceci explique cela. Je n'ai jamais cessé d'éprouver ce qui en valait la peine.

J'ai débuté la vie éternelle. L'expression consacrée ne signifie encore rien pour moi : ce mot d'éternité n'a de sens que pour les mortels.

Il existe plusieurs versions de la suite. Voici la mienne : à force de me promener là où j'en avais envie, j'ai rencontré des gens que j'aimais. Quoi de plus naturel, là aussi ? Je n'avais aucun désir d'aller dans des lieux qui me déplaisaient, ni de rendre visite à des fâcheux.

Comment expliquer qu'on m'ait vu et entendu ? Je ne sais pas. Ce n'est pas banal, mais ce n'est pas unique. Il y a eu d'autres cas, dans l'Histoire, de morts que l'on a vus et entendus, et plus si affinités. Il y a eu des cas célèbres et des cas inconnus. S'il fallait recenser toutes les expériences de contacts troublants avec des défunts, on remplirait des bottins.

J'en appelle à chacun afin de témoigner, toute personne qui a perdu un être cher a expérimenté un instant inexplicable. Certains même ont des épiphanies avec des êtres qu'ils n'ont pas connus. En vérité, il n'y a pas de limites à ce qu'on appelle vivre.

Cela n'empêche et n'empêchera pas une importante proportion de gens d'affirmer qu'il n'y a rien après la mort. C'est une conviction qui ne me choque pas, si ce n'est par son aspect péremptoire et surtout par l'intelligence supérieure dont se targuent ses tenants. Comment s'en étonner ? Se sentir plus intelligent qu'autrui est toujours le signe d'une déficience.

En vérité, je vous le dis : je ne suis pas plus intelligent. Et je ne vois même pas où résiderait l'intérêt de le prétendre. Je n'ai pas plus de fantasme d'égalité que de fantasme de supériorité, les deux causes me paraissent vaines, la qualité d'un être ne se mesure pas. Pas plus qu'il n'y a de voix passive ou active à ce qu'on a cru être mon miracle dernier : est-ce que j'ai ressuscité ou est-ce que je suis ressuscité ? Si j'analyse ce qui m'a traversé, je dirais que je suis ressuscité. Je me suis laissé faire. Le troisième jour ? Je n'ai rien senti de tel. Quand je suis passé de l'état vivant à l'état mort, j'ai connu un changement significatif de perception, particulièrement en ce qui concerne la durée. Dès mon trépas, mon sort a-t-il différé du lot commun ? Je n'ai pas les moyens de le savoir, mais j'ai l'intuition que je ne suis pas le seul à l'avoir expérimenté ainsi.

Un des plus grands écrivains dira que le sentiment amoureux disparaît à la mort pour se transformer en amour universel. J'ai voulu le vérifier en allant revoir Madeleine. Avant même qu'elle s'aperçoive de ma présence, j'ai été bouleversé de la retrouver. Le souvenir de mon corps l'a prise dans mes bras, elle m'a serré contre elle avec frénésie, rien n'altérait notre ferveur.

Le même écrivain aborde ce sujet dans une nouvelle intitulée *La fin de la jalousie*. Le narrateur, maladivement jaloux, guérit de cette maladie au moment de sa mort, et cesse simultanément d'être amoureux. Cet écrivain a une conception très spéciale de la jalousie : à ses yeux, elle constitue la quasi-totalité de l'amour.

Comme j'ai été aussi un homme ordinaire, je me suis souvenu que, quand j'étais vivant, l'idée de Madeleine avec un autre m'était désagréable. À présent, il faut reconnaître que cette perspective m'indiffère. Donc, l'écrivain a raison : la jalousie ne laisse pas de traces après la mort. Mais il a tort, du moins en ce qui me concerne : la jalousie et l'état amoureux ne se recouvrent pas.

Si je me suis tant manifesté auprès de ceux que j'aime, c'était davantage pour honorer le message de mon père que par besoin profond. Ce doit être une autre différence notoire avec l'état de vivant : l'amour n'engendre plus une telle nécessité de contact. Surtout si la séparation ne s'est pas faite dans le malentendu ou la crise. Je ne doute pas de l'amour de Madeleine, je sais qu'elle ne doute pas du mien : pourquoi multiplier les rencontres ? Ce qui est vrai pour elle l'est *a fortiori* pour les autres.

Il ne s'agit pas de froideur. C'est de la confiance. J'ai été ému, bien sûr, de retrouver certains de mes disciples et amis. Leur bonheur de me voir en si bonne forme a rejailli sur moi. Quoi de plus naturel ? Pourtant, en vivant ces moments de fête, j'avais hâte qu'ils se terminent. Cet excès de tension m'était un peu pénible. J'avais envie de paix. Je sentais que mes amis étaient très en demande et j'essayais d'y répondre. C'était pour eux et non pour moi.

Si vous reprochez à votre cher disparu de ne pas se manifester, n'oubliez pas que c'est vous qui avez besoin de lui et non l'inverse. Quand on aime vraiment quelqu'un, exige-t-on qu'il se sacrifie pour nous ? La plus belle preuve d'amour que l'on puisse offrir à l'aimé n'est-elle pas de lui permettre de se livrer à l'égoïste tranquillité ? Cela demande moins d'efforts qu'on ne le croit, juste de la confiance.

En vérité, si votre défunt bien-aimé se tait, réjouissez-vous. C'est qu'il est mort de la meilleure manière. C'est qu'il vit bien sa mort. N'en déduisez pas qu'il ne vous aime pas. Il vous aime de la plus merveilleuse façon : en ne se forçant pas à faire pour vous une contorsion déplaisante.

Il est doux d'être mort. Revenir vers vous est fastidieux. Imaginez : l'hiver, vous êtes couché sous la couette, dans le délice du repos et de la chaleur. Même si vous chérissez vos amis, avez-vous envie de sortir dans le froid pour le leur dire ? Et si vous êtes l'ami, voulez-vous réellement contraindre celui qui vous manque à affronter l'inconfort des frimas pour vous rassurer ?

Si vous aimez vos morts, faites-leur confiance au point d'aimer leur silence.

À mon sujet, on a parlé d'abnégation. D'instinct, je n'aime pas. Mon sacrifice était déjà une telle erreur : faut-il vraiment m'attribuer la vertu cardinale qui y conduit ?

Je ne vois pas en moi la moindre trace de cette disposition. Les êtres atteints d'abnégation disent, avec une fierté que je trouve déplacée : « Oh, moi, cela n'a pas d'importance, je ne compte pas. »

Soit ils mentent, et pourquoi un mensonge aussi absurde ? Soit ils disent vrai, et c'est indigne. Vouloir ne pas compter, c'est de l'humilité mal placée, de la lâcheté.

Tout le monde compte en une proportion si colossale qu'elle en est incalculable. Rien n'est plus important que ce que l'on prétend infinitésimal.

L'abnégation suppose le désintéressement. Je ne suis pas désintéressé puisque je suis un levier. J'aspire à la contagion. Mort ou vivant, chacun a le pouvoir de devenir levier. Il n'y a pas de puissance plus considérable.

L'enfer n'existe pas. S'il y a des damnés, c'est qu'il y a des gens qui trouvent toujours le bât qui blesse. Nous avons tous rencontré au moins l'un d'entre eux : l'être perpétuellement contrarié, l'insatisfait chronique, celui qui, invité à un somptueux festin, ne verra que le mets manquant. Pourquoi seraient-ils privés de leur passion pour la plainte au moment de mourir ? Ils ont bien le droit de rater leur mort.

Les défunts ont aussi la possibilité de se rencontrer entre eux. J'observe qu'ils s'en abstiennent presque toujours. Si intenses qu'aient été leurs amitiés ou leurs amours, quand ils sont morts, ils n'ont plus grand-chose à se dire. Je ne sais pas pourquoi j'évoque ce phénomène à la troisième personne, car enfin, c'est valable pour moi aussi.

Il ne s'agit pas d'indifférence, mais d'une autre manière d'aimer. Tout se passe comme si les morts étaient devenus des lecteurs : le rapport qu'ils entretiennent avec l'univers s'apparente à la lecture. C'est une attention calme, patiente, un déchiffrement réfléchi. Ce qui exige la solitude – une solitude propice à la fulgurance. D'une manière générale, les morts sont moins bêtes que les vivants.

Quelle est cette lecture qui nous occupe quand nous avons trépassé ? Le livre se constitue en fonction de notre désir, c'est lui qui suscite le texte. Nous sommes dans cette situation luxueuse d'être au même instant l'auteur et le lecteur : un écrivain qui créerait pour son propre enchantement. Nul besoin de stylo ou de clavier lorsque l'on écrit dans le tissu de son délice.

Si nous ne recherchons pas les rencontres, c'est parce qu'elles nous rappellent notre individualité de vivant, à laquelle nous ne tenons guère. En me trouvant, Judas m'a appelé par mon prénom, ce qui m'a surpris.

– Tu avais oublié que tu te nommais Jésus ?

– Oublier n'est pas le bon verbe. Cela ne m'obsède pas, voilà tout.

– Tu ne connais pas ton bonheur. Moi, je ne pense qu'à ça : je t'ai trahi. Je suis le méchant de ton histoire.

– Si cela te déplaît, pense à autre chose.

– À quoi d'autre pourrais-je penser ?

– N'y a-t-il pas un lieu de plaisir dans ta pensée ?

– Je ne comprends pas ta question. Je suis celui qui a trahi le Christ. Comment veux-tu que ça ne m'obsède pas ?

– Si tel est ton désir, tu peux ruminer cela pour les siècles des siècles.

– Tu vois ! Tu m'encourages à avoir des remords !

Ce n'était pas ce que j'avais dit. J'ai ressenti

une curieuse émotion en m'apercevant que les malentendus survivaient à la mort.

Que me reste-t-il, d'avoir été un vivant nommé Jésus ?

Sur leur lit d'agonie, les mourants disent souvent : « Si c'était à refaire… » – et ils précisent alors ce qu'ils referaient ou ce qu'ils modifieraient. Cela prouve qu'ils sont encore vivants. Quand on est mort, on n'éprouve ni approbation ni regret par rapport à ses agissements ou ses abstentions. On voit sa vie comme une œuvre d'art.

Au musée, face à une toile exécutée par un maître, personne ne pense : « Moi, à la place du Tintoret, j'aurais plutôt procédé de telle manière. » On contemple, on prend acte. À supposer que l'on ait été un jour ce fameux Tintoret, on ne se juge pas, on admet, « je me reconnais à ce coup de pinceau ». On ne se pose pas la question de savoir si cela relevait du bien ou du mal et jamais on n'est effleuré par l'idée que l'on aurait pu procéder autrement.

Même Judas. Surtout Judas.

Je ne repense jamais à la crucifixion. Ce n'était pas moi.

Je contemple ce qui m'a plu, ce qui me plaît. Mon tiercé gagnant fonctionne toujours. Mourir n'est plus vraiment d'actualité, mais cela valait le détour. Mourir, c'est mieux que la mort, de même qu'aimer est beaucoup mieux que l'amour.

La grande différence entre mon père et moi, c'est qu'il est amour et que moi, j'aime. Dieu dit que l'amour, c'est pour tout le monde. Moi qui aime, je vois bien qu'il est impossible d'aimer tout le monde de la même façon. C'est une question de souffle.

En français, ce mot est trop facile. En grec ancien, souffle se traduit par *pneuma* : admirablement trouvé pour exprimer que respirer ne va pas de soi. Le français, langue de l'humour, n'en conservera, dans la vie courante, que le mot pneu.

Quand on a affaire à quelqu'un qu'on ne va pas pouvoir aimer beaucoup, on dit qu'on ne peut pas le sentir. Cette impression olfactive empêche de respirer en présence de l'importun.

Le coup de foudre, c'est le contraire : on a d'abord le souffle coupé et puis on respire à l'excès. On éprouve le besoin éperdu de humer la personne dont l'odeur nous chavire.

Tout mort que je suis, j'éprouve encore le vertige du souffle. L'illusion joue son rôle à la perfection.

Mon seul deuil, c'est la soif. Boire me manque moins que l'élan qui l'inspire. Parmi les injures des marins, il y a boit-sans-soif. Voici une insulte que je ne risquais pas de mériter.

Pour éprouver la soif, il faut être vivant. J'ai vécu si fort que je suis mort assoiffé.

C'est peut-être cela, la vie éternelle.

Mon père m'a envoyé sur terre afin que j'y répande la foi. La foi en quoi ? En lui. Même s'il a daigné m'inclure dans le concept par l'idée de trinité, je trouve cela hallucinant.

Je l'ai très vite pensé. Par ailleurs, à combien d'occurrences ai-je répété, à telle ou telle personne en détresse : « Ta foi t'a sauvé » ? Me serais-je permis de mentir à ces malheureux ? La vérité c'est que j'ai essayé de jouer au plus fin avec mon père. Je me suis aperçu que le mot foi avait une propriété étrange : il devenait sublime à la condition d'être intransitif. Le verbe croire obéit à une loi identique.

Croire en Dieu, croire que Dieu s'est fait homme, avoir la foi en la résurrection, cela sonne bancal. Les choses qui déplaisent à l'oreille sont celles qui déplaisent à l'esprit. Cela sonne stupide parce que ça l'est. On ne quitte pas le ras des pâquerettes, comme dans le pari de Pascal : croire en Dieu revient à miser ses jetons sur lui. Le philosophe va jusqu'à nous expliquer que quelle que soit l'issue de la tombola, on part gagnant dans cette affaire.

Et moi dans tout cela, est-ce que je crois ? Au commencement, j'ai accepté ce projet démentiel parce que je croyais à la possibilité de changer l'homme. On a vu ce que cela a donné. Si j'en ai modifié trois, c'est le bout du monde. Aussi, quelle croyance idiote ! Il faut ne rien connaître à rien pour penser que l'on peut changer quelqu'un. Les gens changent seulement si cela vient d'eux, et il est rarissime qu'ils le veuillent réellement. Neuf fois sur dix, leur désir de changement concerne les autres. « Il faut que ça change », phrase entendue *ad nauseam*, signifie toujours que les gens devraient changer.

Ai-je changé ? Oui, certainement. Pas autant que je l'aurais voulu. On peut me créditer de ce que j'ai vraiment essayé. J'avoue mon irritation à l'égard de ceux qui vous disent sans cesse qu'ils ont changé et qui n'en ont jamais connu que le désir.

J'ai la foi. Cette foi n'a pas d'objet. Cela ne signifie pas que je ne crois en rien. Croire n'est beau qu'au sens absolu du verbe. La foi est une attitude et non un contrat. Il n'y a pas de cases à cocher. Si l'on savait la nature du risque en quoi la foi consiste, cet élan ne dépasserait pas le calcul de probabilités.

Comment sait-on qu'on a la foi ? C'est comme l'amour, on le sait. On n'a besoin d'aucune réflexion pour le déterminer. Dans le gospel, il y a « *And then I saw her face, yes I'm a believer* ». C'est exactement cela, qui montre combien la foi et l'état amoureux se ressemblent : on voit un visage et aussitôt tout change. On n'a même pas contemplé ce visage, on l'a entrevu. Cette épiphanie a suffi.

Je sais que pour beaucoup de gens, ce visage sera le mien. Je me persuade que cela n'a aucune espèce d'importance. Et pourtant, si je veux être honnête, et je le veux, cela me sidère.

Il faut accepter ce mystère : vous ne pouvez pas concevoir ce que les autres voient dans votre visage.

Il y a une contrepartie au moins aussi mystérieuse : je me regarde dans le miroir. Ce que je vois dans mon visage, personne ne peut le savoir. Cela s'appelle la solitude.

DU MÊME AUTEUR

Aux Éditions Albin Michel

HYGIÈNE DE L'ASSASSIN

LE SABOTAGE AMOUREUX

LES COMBUSTIBLES

LES CATILINAIRES

PÉPLUM

ATTENTAT

MERCURE

STUPEUR ET TREMBLEMENTS, Grand Prix du roman de l'Académie française, 1999.

MÉTAPHYSIQUE DES TUBES

COSMÉTIQUE DE L'ENNEMI

ROBERT DES NOMS PROPRES

ANTÉCHRISTA

BIOGRAPHIE DE LA FAIM

ACIDE SULFURIQUE

JOURNAL D'HIRONDELLE

NI D'ÈVE NI D'ADAM

LE FAIT DU PRINCE

LE VOYAGE D'HIVER

UNE FORME DE VIE

TUER LE PÈRE

BARBE BLEUE

LA NOSTALGIE HEUREUSE

PÉTRONILLE

LE CRIME DU COMTE NEVILLE

RIQUET À LA HOUPPE

FRAPPE-TOI LE CŒUR

LES PRÉNOMS ÉPICÈNES

Composition : IGS-CP
Impression en mai 2019
Éditions Albin Michel
22, rue Huyghens, 75014 Paris
www.albin-michel.fr
ISBN broché : 978-2-226-44388-5
ISBN luxe : 978-2-226-18509-9
N° d'édition : 23630/01
Dépôt légal : août 2019
Imprimé au Canada chez Marquis Imprimeur inc.